D1178187

Cuentos del derecho... y del revés

Historias sobre los derechos de los niños

Cuentos del derecho... y del revés / Gabriela Aguileta... [et al.] ; ilus. de Carlos Vélez. –

   México : Ediciones SM, 2014. – (El Barco de Vapor. Roja ; 63 M) [reimp. 2015]
128p. : il. ; 19 x 12 cm.

ISBN : 978-607-24-1299-6

1. Cuentos mexicanos – Antologías. 2. Derechos del niño – Literatura infantil. I. Aguileta, Gabriela, aut. II. Vélez, Carlos, il. III. t. IV. Serie.

Dewey 808.83 C84

Gerencia de Literatura Infantil y Juvenil: Ana Arenzana
Coordinación editorial: Olga Correa Inostroza
Asistencia editorial: Mariana Hernández y Rojas

Primera edición, 2014
Primera reimpresión, 2015
D. R. © SM de Ediciones, S. A. de C. V., 2014
Magdalena 211, Colonia del Valle, 03100, México D. F.
Para conocer SM, su fondo editorial y sus servicios: www.ediciones-sm.com.mx
Para comprar libros de SM en línea: www.libreriasm.com

ISBN 978-607-24-1299-6
ISBN 978-968-7791-76-0 de la colección El Barco de Vapor

Miembro de la Cámara Nacional de la Industria Editorial Mexicana
Registro número 2830

Impreso en México / *Printed in Mexico*

EL BARCO
DE VAPOR

Cuentos del derecho...
y del revés

Historias sobre los derechos de los niños

Gabriela Aguileta, M. B. Brozon, Juan Pablo Gázquez
Javier Malpica, Toño Malpica,
Juan Carlos Quezadas y Ana Romero

Ilustraciones de
Carlos Vélez

Índice

PRESENTACIÓN

Para que los principios fundamentales, como la libertad, la justicia y la paz, se cumplan, todos de los seres humanos deben tener los mismos derechos y el reconocimiento de su dignidad.

La Convención sobre los Derechos del Niño es el tratado internacional que enuncia los derechos humanos de los niños, niñas y jóvenes en cualquier lugar del mundo. Una nutrición adecuada, ir a la escuela, ser protegido y contar con atención médica, tener un nombre, es decir, una identidad, son entre muchos otros los derechos que considera este tratado internacional. Para los países que se han adherido, su cumplimiento es obligatorio. México forma parte de la Convención desde 1990.

Siete autores mexicanos escribieron los cuentos que vas a leer a continuación con el propósito de acercarte a tus derechos desde la literatura, de una manera divertida, porque es importante que los conozcas, pues los compartes con todos los niños y niñas con quienes convives.

Hamburguesa, Papas y Refresco

Juan Carlos Quezadas

Hamburguesa

El estudio de la familia Hawaiana (así se apellidaban, yo no tengo la culpa) quedaba en el tercer piso de su casa. Tres paredes estaban cubiertas por libros, mientras que el cuarto muro era dominado por un ventanal que mostraba una preciosa vista del jardín. Paisaje que lamentablemente ya nadie parecía disfrutar. En medio de la habitación había un sillón rojo, y en el sillón, una niña.

Natalia era su nombre.

Y si escribí *era* es porque ya no es: ahora Natalia tiene otro nombre que ya pronto conocerás.

Los padres de Natalia, es decir, los señores Hawaiana, eran dueños de la única fábrica de maniquíes del país y siempre estaban hasta el tope de trabajo. Salían de su casa a las siete de la mañana y volvían hasta más allá de las diez de la noche, por lo que los fines de semana eran la única ocasión para reunir a la familia.

De lunes a viernes la casa de los Hawaiana era un páramo triste y solitario. Por eso nada más llegar de la escuela la niña subía al estudio y se lanzaba de panza al sillón rojo para quedarse allí buena parte del día. Como si aquel sillón fuera en realidad una pachoncita máquina del tiempo que tuviera como único fin conducirla hasta la otra orilla. Hasta la playa del dulce sueño que empezaba a aparecer en el horizonte por allí de las nueve de la noche.

Si esto fuera un cómic y no una película veríamos cómo, cuando los señores Hawaiana llegaban a casa, de la boca de su hija brotaba un desfile interminable de ZZZZZZZZZZZZZZZZZZZZZZZZ. Ya estaba profundamente dormida y no tenía caso despertarla. Así que mejor le daban las buenas noches desde la puerta, pero ella no se daba cuenta.

En medio de la habitación había un sillón rojo, y en el sillón, una niña. Natalia era su nombre. Era, era, siempre era…

En los brazos de la niña había un libro. Digamos que el libro se llamaba *Momo* y digamos que en los ojos de la niña había un brillo que podría ser provocado por la emoción que surgía de aquellas páginas.

Digamos también, y aquí es cuando esta historia se empieza a torcer, que en la mesita junto al sillón se podían ver los inconfundibles restos que quedan al comer una hamburguesa: un cartoncillo manchado con residuos de queso y grasa, un sobrecito abierto de salsa cátsup, algún pepinillo.

Una hamburguesa de vez en cuando es una maravilla. El problema es que Natalia se alimentaba los trescientos sesenta y cinco días del año solo de hamburguesas. Sus padres no tenían tiempo de cocinarle nada saludable, y la solución era encargar diariamente desde la fábrica de maniquíes un combo triple para su hija. Nada de verduras ni fruta ni pescado.

Hamburguesas y hamburguesas y hamburguesas.

Cuando Natalia Hawaiana se despertó una mañana después de un sueño intranquilo, se descubrió sobre su cama convertida en una monstruosa hamburguesa. Una hamburguesa idéntica a la que a diario comía, pero que en lugar de pesar unos cuantos gramos pesaba cerca de cincuenta kilos.

Ya no era una niña, ahora era una Maxi Burguer Súper Queso Triple con piña.

Ya no se llamaba Natalia, ahora se llamaba Hamburguesa. Nombre que, hay que decirlo, pegaba mucho mejor con su apellido: Hamburguesa Hawaiana.

Ya no podía leer *Momo* ni ninguna otra historia, porque las hamburguesas no tienen muy desarrollada la imaginación. De un momento a otro la pequeña había perdido la posibilidad de hacer aquello que tanto le gustaba.

Al principio la transformación de Hamburguesa fue un duro golpe para los señores Hawaiana. Sin embargo, con el paso del tiempo fueron aceptando la situación, e incluso, gracias a sus contactos, le consiguieron un trabajo. Hamburguesa abandonó la escuela y se internó de lleno en el mundo laboral: fue aceptada como botarga publicitaria dentro de la misma cadena de hamburguesas que había provocado su transformación.

"¡Qué hamburguesa más real!", exclamaban los clientes impresionados antes de entrar al local y exigir, por una simple asociación de ideas, una Maxi Burguer Súper Queso Triple con piña.

Como es de suponer, Hamburguesa sufría mucho por su nueva situación.

¿Pero a quién podía importarle?

¿Quién podía adivinar el estado de ánimo de una simple hamburguesa?

Papas

La situación de Papas fue muy parecida a la de Hamburguesa, excepto porque en un principio se llamaba Paolo y no Natalia, y sus padres, los señores Amarillas, eran fabricantes de pelucas y no de maniquíes.

Si esto fuera una película y no un poema épico podríamos ver ahora cómo Paolo llega a su solitaria casa para sentarse frente a la televisión a jugar con su consola de video. Para darnos la idea del paso del tiempo, en la pantalla se irían difuminando los diferentes juegos:

luchas de marcianos contra terrícolas, terrícolas contra venusinos, venusinos contra marcianos, perros terrícolas contra marcianos perros, y así un largo etcétera.

Después, para acentuar aún más el correr de las horas, el director de esta imaginaria película nos presentaría tomas de la gigantesca bolsa de papas que Paolo va consumiendo a lo largo de la tarde. Al principio aún con la luz del sol la bolsa se vería rebosante, para ir adelgazando poco a poco al morir la tarde. Dejando en el rostro de Paolo una amarillenta máscara de grasa y sal, una triste sonrisa que más bien parece una mueca de dolor.

No me sorprende que el extraño caso del pequeño Paolo haya suscitado tantas discusiones. A fin de cuentas que un niño se convierta de un día para otro en una bolsa de papas fritas no es algo muy común. Lo que en verdad llama la atención es la rapidez con la que el caso se olvidó y que las personas empezaran a ver de lo más normal cómo una hamburguesa gigante y una bolsa de papas descomunal, espantosos alimentos que un día fueron niños de carne y hueso, se dedicaran a invitar a los clientes a entrar en la cadena de comida rápida.

Refresco

La vida de Refresco, en cambio, muy poco tenía que ver con la de Hamburguesa y Papas. Sus padres no tenían una fábrica ni de maniquíes ni de pelucas. Eran campesinos. Tampoco tenía una vida solitaria. Al contrario, siempre estaba rodeado de personas, ya que toda su familia, incluidos sus cuatro hermanos y sus padres, vivían en un minúsculo cuartito, y cuando no estaban allí se encontraban todos juntos trabajando en el campo.

Ignacio Moreno, ese fue su primer nombre, habría sido muy feliz yendo a la escuela y disfrutando las tardes libres para jugar o leer, pero los niños campesinos, por desgracia, casi nunca gozan de esos derechos.

En el pueblo de Ignacio no había agua potable, y para mitigar la sed tomaban refrescos. Extraño, ¿no? Al pueblo de Ignacio, como a muchas pequeñas poblaciones de México y el mundo, podían llegar litros y litros de refresco, pero no se podía contar con unas cuantas gotas de agua potable.

Todos los días, en medio de la siembra, cuando el calor agobiaba, Ignacio consumía más de dos litros de refresco. Como la comida también escaseaba, unas cuantas tortillas —y los días de suerte, frijoles— eran los únicos alimentos que el pequeño campesino y su familia podían disfrutar. De este modo el azúcar de la bebida se convertía en un combustible necesario para poder aguantar las duras jornadas de trabajo.

Una verdadera lástima.

"Tú que vas allá arriba, Ignacio, dime si no oyes una señal de algo o si ves una luz en alguna parte", le pidió su padre una madrugada en la que iban rumbo a la fuente de agua potable. Sin embargo, Ignacio nada contestó. Su padre repitió la petición dos o tres veces más pero el resultado fue el mismo: un absoluto silencio.

Asustado, el padre subió la pequeña cuesta para encontrar a su hijo convertido en una gigantesca botella de refresco de cola.

"Yo sabía que tanto refresco no era sano", dijo el hombre para sí mismo y profundamente apenado retomó, junto con su hijo-refresco, el camino de regreso a casa. Si esto fuera una radionovela y no el primer acto de una obra de teatro costumbrista, ahora escucharíamos el ladrar lejano de unos perros y el arrullo de un riachuelo.

Al principio, como ocurrió con Hamburguesa y Papas, todo fue tristeza. Sin embargo con el paso del tiempo la gente se fue acostumbrando a la presencia de la botella gigante. Un día, alegando que el envase le pertenecía, el repartidor de la marca de refresco en que se había convertido el niño se lo llevó del pueblo.

Al llegar a la ciudad lo vendió, a cambio de un buen dinero, a la cadena de comida chatarra en la que ya trabajaban el par de víctimas de una mala alimentación que con anterioridad habían sufrido la metamorfosis.

Y por fin, de esta manera, el gran combo se había completado: Hamburguesa, Papas y Refresco.

El paquete triple

Para pasar la noche, encerraban a los tres niños-comida en una gigantesca bolsa de papel café, idéntica a la que sirve para guardar los combos de las cadenas de hamburguesas. Era el único momento del día en que disfrutaban cierta tranquilidad.

Hamburguesa les hablaba de su pasado de niña lectora. Les contaba algunas de las historias que aún recordaba (cada vez con menos viveza, como si el recuerdo fuera una salsa cátsup rebajada en agua). La favorita de Papas era la de una niña que se llamaba Lyra, o ¿Mayra?, y tenía un amigo oso polar, o ¿era oso hormiguero? La historia que más le gustaba a Refresco era la de un niño aprendiz de ¿plomero?, ¿mago?, ¿tenista? Hamburguesa no podía recordar muy bien a qué se dedicaba aquel niño inglés, ¿o acaso era brasileño? Y entonces la historia poco a poco iba perdiendo su encanto (al igual que los recuerdos de Hamburguesa).

Papas, por su parte, fantaseaba queriendo creer que de alguna forma los tres se habían metido dentro de un videojuego y que ahora eran accionados por un niño que, desde la comodidad de su cuarto, regía sus vidas. Al principio imaginaba que el objetivo del juego era liberarse de aquel hechizo y así poder regresar a sus antiguas existencias de niños normales. Por desgracia el juego imaginario de Papas se tornaba cada vez más aburrido y sin gracia.

Refresco, a pesar de vivir empacado junto a sus nuevos amigos, se sentía solo. Abandonado. Añoraba el contacto con su familia y con la naturaleza. Extrañaba el río y el sol. Por las mañanas miraba el cielo para tratar de adivinar el clima que reinaría durante el día, pero cada vez era menos capaz de interpretar qué querían decirle la forma de las nubes o el color del cielo.

El espíritu de los tres pequeños estaba cayendo en la trampa de la grasa, el azúcar y los conservadores artificiales.

Por fortuna esta es una película-poema épico-primer acto de una novela costumbrista y además tiene un final feliz: una pequeña se dio cuenta de que aquellas no eran unas botargas y sabiendo que nadie puede obligar a un niño a hacer trabajos que afecten su salud, desarrollo y educación avisó a las autoridades.

A Hamburguesa, Papas y Refresco los internaron en un hospital donde recibieron una dieta que les hizo recobrar su antigua identidad. Pasado un tiempo regresaron con sus familias. Los Hawaiana y los Amarillas decidieron unir sus esfuerzos y empezaron a producir fabulosos maniquíes peludos. Abrieron una fábrica en el pueblo de los Moreno y ayudaron a construir una escuela, alumbrar las calles y, por supuesto, se organizaron para conseguir que llegara el agua potable.

Ahora los padres de las tres familias se turnan para cocinar alimentos adecuados para los pequeños. Todos sufren cuando al señor Amarillas le toca preparar el menú.

Casi prefieren volver a las hamburguesas.

Pasan las tardes leyendo, jugando videojuegos y caminando por el bosque. Son felices.

Felices como todos los niños tienen derecho a serlo.

Por desgracia la realidad no es una película-poema épico-primer acto de una novela costumbrista. A veces la realidad no tiene final feliz.

Es cruda.

Como la peor de las hamburguesas.

Por desgracia.

Artículo 24: Las niñas y los niños tenemos derecho a recibir una alimentación adecuada, a tomar agua potable y a acceder a los servicios de salud. Además, las autoridades deben prohibir las prácticas que perjudiquen nuestra salud.

Artículo 32: Nadie puede obligarnos a hacer trabajos que afecten nuestra salud, desarrollo y educación. El Estado debe establecer las edades a las que se puede empezar a trabajar, así como los horarios y las condiciones laborales.

Hay de abuelitas a abuelitas

M. B. Brozon

Después de muchos años —todos los ocho que tenía encima, justamente—, Lui experimentó una mezcla muy rara de gusto y ansiedad cuando, al asomarse por el balcón un domingo, vio que unos hombres bajaban muebles de un camión de mudanza. Nuevos inquilinos no era algo que sucediera con mucha frecuencia por su edificio. Pidió permiso a sus papás para bajar a ver a quienes estaban a punto de convertirse en sus vecinos. Su mamá asintió despreocupada y su papá igual, pero sin quitar la vista del diario. Lui bajó por las escaleras los cinco pisos que separaban su departamento de la planta baja.

Las dos emociones continuaban cuando Lui vio a aquellas dos mujeres que tendrían más menos la edad de su propia madre; el gusto ganó algo de lugar a la ansiedad cuando una niña, quizá un poco mayor que ella,

asomó su nariz pecosa y sus grandes mejillas hacia el cubo de la escalera, desde donde Lui ejercía su labor de espionaje. Sus miradas se cruzaron por un momento. Lui solo sonrió, no se le ocurrió algo que decir. La otra rompió el silencio con una pregunta cuya respuesta, a decir de Lui, era un poco lógica.

—¿Vives aquí?

—Sí. Y también mis papás y Alejandro, mi hermano, que tiene tres meses. ¿Y tú?

—Yo viviré aquí con mi mamá y mi tía y mi abuelita. Hermanos no tengo, gracias.

Aquí fue cuando el gusto empujó a la ansiedad y ganó terreno en el ánimo de Lui. Por fin, una abuelita en el edificio.

Parece mentira, pero no es tan fácil encontrar un edificio que incluya una abuelita. En el de Lui, por lo menos, nunca había habido una. Estaba el matrimonio joven, que no tenía hijos pero sí una pantalla de plasma y muchísimos videojuegos. Estaba la familia del cuatro, con dos hijos que iban a la universidad y que se peleaban por un coche viejo todos los días. Y en el primer piso vivía el viejo matrimonio en el que Lui había puesto todas sus esperanzas. Los dos tenían aspecto y voz de abuelitos, su departamento estaba decorado como de abuelitos, pero no lo eran. Solo tenían una hija que, por lo visto, no tenía planeado convertirlos en abuelos nunca. Algunas veces Lui se cruzaba con alguno de ellos en el recibidor del edificio y les preguntaba:

—¿Todavía no piensan ser abuelos?

El señor, invariablemente, le contestaba con un gruñido malhumorado, pero la señora suspiraba y le daba alguna triste explicación. La última había sido:

—A nuestra Laurita le dieron una beca para un doctorado más. Ahora en Suecia. Ella tiene cuarenta y el chisme ese dura tres años. Yo creo que lo del nieto te lo vamos a quedar a deber, m'hija.

Le acarició la mejilla y siguió su camino sin dejar de suspirar.

Sucede que Lui, diez meses antes, había perdido a su abuelita, y con ella, algo más se le había ido. Algo que no podía explicar, algo de dentro, que la hacía sonreír más seguido y estar, cómo decirlo, como… más tranquila con la vida. La abuelita de Lui no era de esas que uno ve en las películas o en los programas de televisión. No tenía el pelo blanco, mucho menos peinado en un chongo; no estaba encorvadita ni necesitaba un bastón. Ni siquiera tenía muchas arrugas. Si a Lui no le hubieran dicho desde que nació que era su abuela, podría perfectamente haber creído que Lali era una tía, o una buena amiga de la familia, solo un poco mayor que sus papás.

Sus papás no supieron dar respuesta a sus preguntas. Fue la señorita Paloma, una maestra del colegio (que no da clases pero platica con los niños en su pequeño cubículo), quien le explicó que no solo las abuelas que se ven viejitas mueren. Que un accidente así puede pasarle a cualquiera sin importar la edad. Al *por qué* número catorce de Lui, la señorita Paloma solo pudo responder: "Porque así funciona el mundo".

—¿A mí también podría pasarme un accidente así? —preguntó Lui antes de salir del cubículo. No iba a hacerlo, porque la señorita Paloma se veía bastante agotada, pero tampoco quería irse a su casa con esa duda circulando en su cabeza.

—Creo que sí… Podría, sí. Pero no te preocupes, a ti no tiene por qué pasarte nada. —La señorita Paloma puso los ojos tristes y una media sonrisa —. De verdad.

A pesar de que con esta última afirmación la señorita Paloma convirtió la media sonrisa en una sonrisa completa, Lui siguió tristeando. No tanto porque un accidente así pudiera pasarle a ella, sino porque le había pasado a Lali, y ella la extrañaba tanto que hasta le dolía el estómago.

Desde entonces Lui había intentado buscar una abuela para suplir a la suya. Sin mucho éxito, a decir verdad. Las abuelas casi nunca iban por sus compañeros de colegio, y tampoco solían figurar en las fiestas. Además, a Lui no la invitaban a muchas fiestas.

Un día en el parque, en vez de irse a jugar con los demás niños, Lui se sentó en una banca junto a una anciana.

—¿Es usted la abuelita de alguien? —le preguntó sonriente.

La anciana solamente la miró con recelo, cogió su bolsa de golosinas (que a juzgar por la masticación debían haber sido chiclosos), se levantó con algo de trabajo y se alejó a pasitos de allí.

Ahora, por fin, había llegado una abuela al edificio.

—Yo me llamo Jimena, ¿y tú?

—Yo, Luisa. Pero todos me dicen Lui. ¿Dónde está tu abuelita?

—Está arriba en el departamento. Ella es la que les dice a los señores de la mudanza dónde tienen que acomodar todo.

—Qué bien.

Poco tiempo después, Lui y Jimena se hicieron más o menos amigas. Porque hay de amigas a amigas. Por alguna razón Lui no alcanzaba a querer tanto a Jimena como a Harumi, que era su amiga desde el kínder y que por mala suerte tenía a sus familiares repartidos entre Japón y el estado de Sinaloa (abuelitas incluidas).

Jimena pasaba mucho tiempo en casa de Lui. Y no estaba mal, pero se invitaba muy seguido ella sola. Era raro: en la práctica, resultaba lo mismo cuando Lui la invitaba que cuando Jimena se invitaba sola, pero en este segundo caso, Lui como que se la pasaba menos bien. Tenía, por decirlo así, menos paciencia. Jimena platicaba mucho con sus papás y Alejandro sonreía en cuanto ella entraba. En fin, que no tenía nada de malo, pero a Lui le parecía muy raro que Jimena, teniendo esa vida tan envidiable (vivir con su abuelita parecía la situación ideal) no la aprovechara y, sobre todo, no se la compartiera.

—Iríamos a mi casa, pero nunca hay nadie. Es más aburrido que aquí —contestaba Jimena ante la insistencia de Lui en jugar una tarde en cada casa.

—Bueno, ¿cuando esté tu abuelita sí vamos? —pedía Lui, y Jimena no entendía cuál era el mitote. Su abuelita tampoco pertenecía al grupo de las típicas. Era una mujer seria, más bien robusta, tenía el pelo corto y negro, apenas salpicado por algunas canas, y unos brazos que cualquier luchador envidiaría.

—Yo a mi abuelita le decía Lali. ¿Y tú cómo le dices a la tuya?

—Yo le digo Estela.

—Estela. Qué raro.

—Le digo así porque así se llama. No le gusta que le diga ningún apodo, menos *abuelita.* Antes di que me deja llamarle por su nombre y no me hace que le diga *señora García.*

De todos modos, Lui aprovechaba cualquier oportunidad para conversar con la abuelita. A veces, los domingos por la mañana, tocaba en el departamento de Jimena a eso de las nueve y media, cuando estaban desayunando; los domingos eran los días que Jimena y su abuela se quedaban en casa mientras la mamá y la tía se ocupaban del puesto de ropa importada que ponían en distintos mercados sobre ruedas de la ciudad. Jimena las acompañaba los sábados, pero los domingos no, porque el mercado estaba en un rumbo de no muy buena muerte.

—¿Cómo les fue ayer en el puesto, señora García? —le preguntaba Lui para empezar. La abuelita no era muy amiga de esas conversaciones, y sus respuestas rara vez incluían más de dos o tres palabras. Jimena solo hacía cara de "Ya empezó esta otra vez con sus pláticas" y seguía comiendo su desayuno.

Sí, casi siempre las conversaciones eran iguales, menos la vez que Lui le preguntó a la abuelita de Jimena que si tenía novio y esta le contestó que era una pregunta estúpida. Lui le dijo que no lo era, que su Lali había conseguido un novio por internet, que vivía en España y se mandaban cartas por correo electrónico todos los días.

—Si no me cree, le puedo enseñar alguna, me quedé con la clave del correo de Lali. —La abuelita de Jimena la miró con un poco más de interés—. Pero nomás una, ¿eh? Nadie ha visto esas cartas. No es que fuera un gran secreto, pero ella me contaba todo solo a mí.

—¿Ves? Aprende. Tú a mí nunca me cuentas nada —Jimena le dirigió el reproche a su abuela y Lui no supo si era en serio o era broma. Por el tono, parecía broma. Por los ojos tristes de Jimena, quizá no lo fuera.

También cambió la mecánica de la conversación aquel otro domingo, cuando la respuesta a cómo les había ido en el puesto no fue el parco y habitual *bien*, sino un escandaloso *mal*, que dijo la abuela antes de soltar el relato de cómo *aquellos bastardos infelices de la judicial llegaron al mercado y se llevaron la mercancía de muchos compañeros; tuvimos que levantar todo y correr como locas, ¿y todo para qué? ¿Tú crees que sirve de algo? ¡Lo han de vender o se lo han de regalar a su madre!*

Lui escuchó boquiabierta y al día siguiente le preguntó a la señorita Paloma qué quería decir *bastardos*.

—¿Por qué me preguntas eso? —preguntó a su vez la señorita.

—Porque no sé lo que quiere decir.

La señorita Paloma le dio una respuesta que le hizo pensar que no estaban hablando de lo mismo. ¿Cómo iba a saber la abuela de Jimena si esos judiciales que habían arrasado con los puestos del mercado conocían a sus papás?

Un viernes, poco después de las ocho de la noche, sonó el timbre con insistencia. Fue la mamá de Lui quien abrió la puerta. Esta se acercó al ver que era Jimena, pero resultó que la visita no era para ella.

—Oiga, que dice mi abuelita que si no tiene una taza de ron que le regale. O de vodka, o de cualquier vino que tenga.

La mamá de Lui se volvió hacia la sala y le echó una mirada de ojos muy abiertos a su marido. Trastabilló un poco la respuesta, pero acabó yendo a la parte de abajo de la alacena, escogió una botella a la que le quedaba un cuarto y se la dio a Jimena.

Jimena se fue y los papás de Lui, antes de ponerse a platicar, la mandaron a su cuarto. Ella dejó un poquito abierto y asomó la oreja. Cuando oyó frases como "La pobre niña", "Qué clase de vecinos son esos" o "A ver si vamos haciendo que Lui se aleje de esa familia", le dio un escalofrío y mejor cerró la puerta y se metió en su cama.

Hay de pedidos a pedidos; aparentemente no era igual pedir una taza de azúcar que una de ron.

El domingo siguiente Lui no bajó después del desayuno. No la dejaron. Esa semana su mamá la enseñó a tejer; le entró de repente la idea de que a Alejandro le faltaban cobijas, y Lui pudo salir muy poco, solo subir a la jaula a revisar la sequedad de la ropa o bajar a recoger el portafolio de su papá, que se había quedado en el coche. Una de esas veces se topó con Jimena en el descanso de la escalera y platicaron un poco.

—Oye, el vino que nos fuiste a pedir la otra vez, ¿te lo tomaste tú?

—No, mensa, cómo crees. Era para mi abuelita.

—Ah.

—¿Vamos a jugar?

—No puedo. Estoy aprendiendo a tejer.

—Qué raro —dijo Jimena y se encogió de hombros—. Bueno, ya será el fin de semana.

Que llegó, naturalmente, como llegan todos los fines de semana tarde o temprano, y dejó a los papás de Lui sin excusas. No había que hacer tarea ni preparar uniformes, y la cobija de Alejandro, a decir verdad, iba bastante adelantada.

—Bueno, ve. Pero a más tardar a las siete te quiero de vuelta, ¿entendido?

Qué afán de agarrar ese tonito de la nada. Como si ella tuviera la culpa de que la abuelita de Jimena mandara pedir una tacita de ron o lo que fuera. Ya les había aclarado a sus papás que no había sido Jimena quien se lo tomó.

Sin embargo a Lui le quedó bien claro que había sido desde esa vez que sus papás empezaron a darle largas cuando les decía que iba a jugar con Jimena. Por eso tanta tarea, tanto tejido, tan boleados los zapatos todos los días. Ese viernes podría ir solo un rato, nada más porque era viernes y porque se había portado bien toda la semana.

Lui tocó en el departamento de Jimena; desde fuera oyó algunos gritos y esperó un momento un poco largo a que le abrieran. Fue Jimena, que parecía escabullirse mientras la discusión dentro continuaba.

—Otro lío con el puesto, ¡vámonos!

Pero no había bajado las muñecas ni la pelota, y Lui no quería ir a su casa por juguetes porque sospechaba que su mamá no le iba hacer muy buena cara a Jimena. De modo que se sentaron en la puerta del edificio a platicar. Lui preguntó el motivo del pleito, pero a Jimena no le dio tiempo de contarle porque en ese momento llegó el matrimonio joven que no tenía hijos pero sí pantalla de plasma y videojuegos y las invitaron a jugar.

Cómo iban a decir que no, si ninguna de las dos tenía nada de eso en su casa.

Esa tarde aprendieron que hay adultos que, aunque tengan trabajos y sueldos y estén casados, se siguen comportando como niños. Y también que los videojuegos tienen un poder casi mágico para hacer que cuatro horas se pasen como media, no como las muñecas o el Operando.

Pues sí, hay de juegos a juegos.

Cuando Lui se dio cuenta de que eran más de las nueve, supo que tendría serios problemas en su casa. Puso el control del videojuego en la mesa, dio las gracias y se despidió. Todos intentaron convencerla de quedarse otro rato, pero no lo lograron. Al final Jimena se fue con ella.

Subieron por las escaleras, Lui comiéndose las uñas, Jimena no. Pero cuando iban llegando al tercer piso se encontraron con la imagen furibunda de la abuelita de Jimena. La mujer gritó algunas palabras de esas que Lui tenía prohibidísimo decir, le dio una bofetada a Jimena y la jaló del pelo; la arrastró desde las escaleras hasta la puerta, que cerró con un estruendo que debió de oírse en los quince departamentos y quizá en el edificio de junto. Lui se quedó parada en el descanso de la escalera. Dentro del departamento se oyó un portazo más y luego, apenas, gritos de la abuela y llantos de la niña. Con las rodillas temblorosas, Lui siguió su camino hacia arriba. Entró a su casa y el regaño que su mamá había empezado se transformó en preguntas. "¿Qué pasó?, ¿por qué estás temblando?". Pero Lui no quiso decir todo lo que había visto. Solo contó que la abuelita de Jimena se había enojado y que gritaba tan fuerte que la había asustado un poco.

Ella tampoco se salvó del castigo. Sus papás la sentaron en un sillón de la sala y le explicaron que no podía irse toda la tarde al departamento de los vecinos sin avisar; le dijeron que se habían preocupado mucho.

Y le decomisaron sus libros, sus juguetes y su hora de televisión toda la semana. Y, por supuesto, nada de ir a chacotear con ningún vecino. Con la palabra *ningún* bien recargada. Las lágrimas fluyeron, pero no precisamente por sus castigos.

La semana siguiente la cobija tuvo un avance asombroso y las hojas de tarea de Lui llevaron marcos floreados. Hasta el miércoles, por lo menos. Esa tarde apareció Jimena justo a la hora del baño de Alejandro, así es que fue Lui quien se encargó de abrir la puerta.

—¿Qué haces aquí? —dijo en un susurro—. ¿Qué no estás supercastigadísima? Yo sí.

—Sí, me castigaron mucho ese día, pero hoy no hay nadie en mi casa y me salí. Quería ver si quieres jugar un rato.

Lui le explicó que tanto como jugar no podía, pero quizá platicar un ratito, en lo que terminaban de bañar a su hermano, sí. Jimena entró al recibidor y a la luz de este Lui pudo ver sus brazos. Uno de ellos, el izquierdo, estaba amoratado desde el hombro hasta el codo. Lui tragó saliva antes de preguntar.

—¿Eso...? —No tuvo que terminar la pregunta.

—Sí. Te digo que me fue remal. ¡Y esto no es nada!

Jimena se dio vuelta y se levantó la playera. El color de su brazo se extendía a lo largo de casi toda la espalda. Parecía un gran mapa morado. La geografía del enojo de la abuela. En algunos sitios Lui pudo ver la forma de la mano enorme, más oscura donde tal vez había un anillo. Sintió unas lágrimas que subían por su garganta y, aunque quiso evitarlo, salieron en silencio de sus ojos.

—¿Te pegaron mucho también? —preguntó Jimena. Lui negó con la cabeza y se limpió las mejillas—. Lo bueno es que ya casi no me duele, pero todo el fin de semana tuve que dormir boca abajo, en serio.

Lui quería decir algo, pero no supo qué.

—¡¡¡Lui, pásame una toalla!!! —Se oyó el grito desde la habitación de sus papás.

Jimena tronó la boca con decepción.

—Bueno, a ver si me puedo escapar mañana como a esta hora.

Lui estuvo callada toda la cena y todo el día siguiente en la escuela. Tenía tantas inquietudes… Lo bueno es que también tenía una señorita Paloma, que era ideal para eso. Lui se lo contó todo como si fuera algo que había visto en una película. Sin embargo, es probable que la señorita Paloma tuviera sus dudas.

—¿Sabes que eso no está bien? Nadie tiene el derecho de golpear a una niña —dijo cuando Lui terminó de hablar.

—Pero era su abuelita.

—Nadie, ni su abuelita, incluso ni sus papás. La niña de la película, así como tú o como cualquiera, podría denunciar a ese adulto. Y ese adulto, dependiendo de qué tanto la haya lastimado, podría hasta ir a la cárcel. ¿Sabías?

Lui negó con la cabeza. A eso y a la pregunta que después hizo la señorita Paloma:

—¿Estás segura de que no me estás hablando de ti ni de nadie que conozcas?

No, no, nada tonta la señorita Paloma; Lui negó y salió del cubículo antes de que le hiciera más preguntas.

Esa tarde no esperó a que Jimena pudiera escaparse a la hora del baño de Ale, sino que ella misma lo hizo, una vez que verificó que no hubieran olvidado la toalla. De nuevo Jimena estaba sola y Lui pudo contarle. Así, tal como se lo dijo la señorita Paloma. Nadie puede pegarte de esa manera —y eso que la señorita Paloma no había visto la mano de la abuelita marcada en la espalda de Jimena—; si quisieras podrías hacer que la metieran a la cárcel. (A Lui se le olvidó la palabra *denuncia*.)

Jimena sonrió y movió la cabeza de un lado a otro.

—No, cómo crees. Si es mi abuelita. Ni modo que no me castigara, si me salí sin avisar y ve qué hora era.

—¿Y no le puedes decir que te castigue de otras formas? Ve a mí, me quitan la tele, los juguetes y me regañan bastante con palabras. Es feo también, pero duele menos.

—Un domingo que llegues al desayuno dile tú —Jimena sonrió y al encogerse de hombros dejó escapar un *auch*.

Pero Lui no se animó a volver a bajar un domingo al desayuno. Y desde entonces, casi sin darse cuenta, dejó de buscar una abuela suplente. Supo que era solo a la suya a quien extrañaba.

Porque sí, no le quedó la menor duda: hay de abuelitas a abuelitas.

Artículo 19: El Estado debe protegernos de abusos y maltratos, ya sea que provengan de nuestro papá, mamá o de cualquier persona.

Historia sobre una perra loca y su insoportable dueño

Ana Romero

El síndico del pueblo comía mole casi cada semana. Y no es que le encantara, de hecho, le daba agruras, pero cuando la celebración es un bautizo y en el bautizo se sirve mole, queda mal que el padrino no se lo coma.

Así que la vitrina del síndico del pueblo de San Juan estaba repleta de dos cosas: leche de magnesia escondida en los cajones, y en la parte superior, bien visibles, los ahijados posando para las fotografías (una por cada cumpleaños) que las mamás de los aludidos iban cambiándole al padrino pastel tras pastel, velita tras velita.

—Compadre, aquí le traigo el nuevo retrato de su ahijado, que ya cumplió otro añito —decían, palabras más, palabras menos, las madres al tocar a la puerta de la casa, no solo con la dichosa fo-

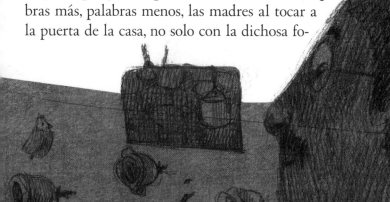

tografía, sino con alguna gallina, nopales, escamoles o elotes, porque, según ellas, eso era la comida preferida del padrino, aunque ninguna en realidad le había preguntado; simplemente habían seguido la ocurrencia de la primera comadre de mis padrinos.

Como podrá verse, las mujeres del pueblo de San Juan, originales originales, no parecían, pero sí eran mujeres de costumbres. Cuando a la primera se le ocurrió pedirle al síndico que apadrinara al mayorcito de la casa, todas las demás hicieron lo propio, porque pensaron que de lo contrario estarían haciéndole una grosería.

Y al síndico tampoco le gusta ser descortés y acepta cada nuevo ahijado que la fértil naturaleza de las mujeres de San Juan le manda. Y al síndico Herminio, que como ya lo vamos conociendo podemos tomarnos el atrevimiento de llamarlo por su nombre, no le gustaban los nopales, por babosos; las gallinas menos, porque a su mujer le daba tristeza matarlas y lloraba a mares cuando alguna se le moría de vieja; los escamoles los consideraba una porquería, y los elotes no podía morderlos porque la dentadura postiza siempre se le quedaba pegada.

Lo que sí le gustaba eran los niños. Entre sus cuatro nietos y sus veintidós ahijados, repartía el tiempo libre que le dejaban sus ocupaciones de síndico, y con eso tenía lo suficiente para ser feliz.

Hasta que nació Nacho.

Cada vez que un nuevo primogénito llegaba a aumentar la población de San Juan, Herminio fingía una tremenda molestia, pero su esposa corría a la ciudad a comprar vela, ropón y guayabera, porque a su marido no le gustaba repetir la vestimenta.

—¡Que no, mujer, que no! ¿Cómo se vería que el padrino estuviera vestido igual? ¿No ves que cada niño es único? Imagínate lo que iban a pensar de mí si no voy estrenando.

—Entre ropones, guayaberas, bolos y los domingos que repartes entre los veintiséis chamacos, se nos va todo… ¡una gastadero, un gastadero! —se iba la esposa del síndico gritando de furia, pero con una enorme sonrisa en el fondo, porque justamente por eso se había casado con Herminio: por generoso.

Ah, sí, les estaba diciendo que las desgracias de don Herminio llegaron con el nacimiento de Nacho. Ignacio José Guadalupe López Fuentes, para servirles. Pero me pueden decir Nacho.

Cuando nací, a mi padrino casi le da el patatús.

—¡Indígena y ciego! ¡Válgame Dios! Este niño tiene todo en su contra… Va a sufrir mucho, el pobrecillo —gritó nada más verme.

El síndico lo decía por experiencia.

Había visto cómo algunas personas de la ciudad asumían que los indígenas de San Juan eran seres inferiores; vio muchas veces cómo trataban de engañarlos en los negocios con las cosechas o con los animales; fue testigo de cómo muchas señoras encopetadas se tapaban la nariz con dos deditos haciendo cara de fuchi por el supuesto mal olor de las indígenas que van a vender al mercado de la ciudad; sabía, además, que los niños no se andan con medias tintas cuando de burlas se trata. Y entre todo sumado, Herminio tuvo la certeza de que al pobre de Nacho (su servidor y amigo) me tocaría una suerte bastante perra.

Fue así como yo, sin pedirlo, es más, sin siquiera haber hecho nada más que nacer para lograrlo, me convertí en el ahijado favorito de don Herminio, quien, a pesar de que seguía siendo el mejor padrino en kilómetros a la redonda, me trataba distinto, me cuidaba de las burlas de los otros niños, andaba detrás de mí, me compraba todo lo que trataban de venderle (incluido un tubo por donde, dicen, se ven figuras de colores, que a mí solo me sirve para tropezarme y a mi padrino, para arrepentirse cada vez que se recuerda a sí mismo comprándole un caleidoscopio a alguien que no puede ver, ya no digamos las figuras, que no puede ver nada).

Incluso encargó por correo un curso para aprender a leer en Braille (que es un lenguaje con puntitos que usamos los ciegos), para enojo de su esposa, porque después tuvo que aumentar sus gastos mensuales con la compra de libros en ese tipo de lengua. Claro, eso después de haber consultado a docenas de doctores que le dijeron lo mismo: "La ceguera de este niño no tiene cura".

Soy Nacho (a sus órdenes, señor), ciego sin remedio, indígena para más señas e insoportable como pocos. El Gran Consentido del Pueblo. El insufrible.

Nadie leía más que yo, por lo tanto, nadie sabía más que yo, y ninguno se atrevía a contradecirme.

Ninguno en el pueblo osaba molestarme, un poco por lástima, mucho por generosidad y otro tanto por temor a mi padrino, que lo había dejado muy claro desde un domingo a las 13:36 horas, exactamente: momentos en el que tocaba repartir el bolo a la salida de la iglesia.

—A ver, ahijados, escúchenme bien —dijo abrazando la bolsa con monedas contra su pecho como si del Santo Grial se tratara—, no voy a darles nada si no me prometen una cosa antes.

Así nació la amenaza de tratarme bien, y yo creo que mi padrino había aprendido lo suficiente de los criminales a los que encerraba en prisión, porque funcionó, al menos durante un tiempo.

Pero con Nacho (a sus pies, señora) no se podía, por más que la gente lo intentara.

Si ya de por sí me gustaba burlarme de todos mis amigos; si ya de por sí traía a mi mamá asoleada con mis continuas exigencias ("Tengo comezón y no me veo para rascarme", "No puedo recoger mi cuarto porque no encuentro el tiradero", "Ayúdame con los platos, ¿no ves que soy ciego?" y demás pretextos que me inventaba); si ya de por sí obligaba a todo el mundo a jugar exclusivamente a la gallina ciega y a dejarse ganar; si ya de por sí no aceptaba que me contradijeran bajo ninguna circunstancia y alegando que la razón siempre la tenía yo por ser el más culto de la comarca y de todos los pueblos vecinos, con la llegada de la Comisión, la cosa se puso verdaderamente infernal.

—Los señores del Unicef vienen a platicarles acerca de los derechos de los niños —anunció la maestra y ahí comenzó el acabose.

Saber que tenía derechos era maravilloso, sobre todo el artículo 23, que habla sobre los niños que tenemos algún problema físico y mental, maravilloso. Pero…

El problema, según Nacho (acepte mi mano y mi amistad, gentil dama), era que estaba muy bien saber los derechos que tiene uno. Lo que no estaba bien era que los demás lo comprendieran *demasiado,* porque eso podía significar el fin de mi reinado. Algo tenía que hacer y tenía que hacerlo lo antes posible.

—Así es, las rosas están en el bando enemigo. Por las noches se ponen de acuerdo con las hiedras, que son fáciles de convencer si a cambio les ofreces un par de agarraderas para seguir su camino. Y ya se sabe que las espinas de las rosas son excelentes agarraderas.

—¿Estás seguro, Nacho?

—Soy el más culto del pueblo, y además, ciego. No te atreverías a llevarme la contraria, ¿o sí? Ya sabes que mi padrino siempre me escucha y te podría acusar si quisiera.

De esa manera convencí a los niños de San Juan de cortar de raíz todas las rosas del pueblo, con el pretexto de que solo yo sabía que, junto a las hiedras, estaban organizando un complot en contra de los habitantes del lugar.

—Es una broma, mujer. ¡Ah, qué mi ahijado tan ocurrente! —contestó don Herminio cuando la mamá de Nacho (perdone que no me levante, pero es que soy ciego) fue a pedir su intervención para controlar a su hijo.

—No es una broma, compadre, perdone que lo contradiga. Este muchacho anda de un lado para otro cargando un papel en donde dice que tiene derecho a pensar y a creer en lo que quiera, y con eso no hay nadie que pueda controlarlo. A mí ya no me escucha, ya ni caso me hace, porque ahora me salió con que yo no soy su mamá, que la verdadera era una diosa a la que desterraron cuando supieron que esperaba el hijo de un hombre del montón, pero como murió en el parto, los otros dioses castigaron al niño y por eso es ciego; aun así es mitad dios y mitad persona —narró la señora con lágrimas en los ojos de la desesperación.

—¡Qué ocurrente! De veras, ¡qué ingenio de muchacho! —contestó mi padrino cuando las carcajadas por fin se lo permitieron.

Aquel *jajajá* le dio a Nacho (pase a esta, su casa, pero límpiese los zapatos primero) la libertad para seguir comandando las tropas infantiles de San Juan.

Lo siguiente fue lanzar un burro (el que por cierto, me caía muy gordo) al pozo, ya que convencí a los otros de que la noche anterior un barco pirata había atracado cerca del pueblo, y mi sobrehumano sentido del oído me había permitido descubrir que habían venido justo a ese pozo a esconder un enorme tesoro. De nada sirvieron los argumentos de que el mar más cercano a San Juan queda a tres días de camino; de nada, los lloriqueos de una de las niñas que se negaba a mandar al burro en avanzada. De nada. Para todo tuve pretexto.

Los hombres del pueblo se tardaron una mañana entera sacando al burro, tiempo suficiente para convencer a mi tropa de vaciar los cajones de sus padres en busca de calzones que no estuvieran rotos, con los que construiríamos una vela, la cual sería el motor que nos permitiría ir tras los piratas.

Luego había que conseguir madera: adiós, sillas y mesas.

En ese momento, Nacho (semidiós en la Tierra, para lo que se le ofrezca) debió parar sus terquedades. Sé que las señales de que estaba yendo demasiado lejos eran obvias. Sé ahora que aquella tarde en la que los niños tuvimos el pueblo para nosotros solos era un mal augurio. Pero no lo quise ver (al fin y al cabo, soy ciego) y lejos de preocuparme, convencí a las tropas de que debíamos ganarnos el grado de piratas, para lo cual había que hacer algunos desmanes en el pueblo. Saldo: dos corrales sin rejas, siete borregos perdidos, doce ventanas rotas a resorterazos, catorce macetas sin tierra y todos los niños con los codos y rodillas raspados, todos menos Nacho, que como soy ciego, general y mitad dios, ordené cuanto tenía que hacerse, pero eso sí, sin moverme de mi puesto.

Y no hubo regaños.

En este instante, lo sé, debí haber imaginado que algo muy grave iba a pasar cuando nadie me regañó. Al contrario, de hecho, todo sucedió muy al contrario de como tenía que haber sucedido.

—Me pusiste a pensar, a pensar mucho, ahijado. Y todo este asunto de los derechos de los niños me hizo descubrir que no te estamos dando todo lo que necesitas —anunció mi padrino.

—Es lo que yo he siempre he dicho —contesté.

—Necesitas ser independiente, un niño como todos. Para acabar pronto, te hace falta algo para terminar de ser parte activa de esta sociedad.

—¿Qué? —pregunté con algo de sospecha.

—Un perro guía. Perra, para ser exactos. Ya le tengo echado el ojo a una preciosidad.

¡Por supuesto! ¿Cómo no se me había ocurrido antes? Tener un perro asesino que me protegiera de los malos y amedrentara a los buenos era lo único que me hacía falta. Ya era el consentido, ya era el líder, ya nadie me contradecía, ¡era momento de dar el siguiente paso!

—Pues va a ser tuya si me prometes una cosa —me pidió el padrino, y aunque soy ciego, ahora me imagino clarito la sonrisa de triunfo que se le formó debajo del bigote.

—¡Lo que sea! —Marqué mi suerte al decir aquello.

—Tienes que obedecerla en todo, noche y día, los siete días de la semana.

—Claro que sí.

—¿Lo juras?

—Lo juro.

—Ya sabes lo que pasa por jurar en vano.

—Lo juro, lo juro, lo juro.

Así llegó la Veoveo a mi vida.

Una hermosa perra, decían, de color chocolate, con el pelo más sedoso que la Martina (esto puede quedarse en secreto, si me hacen el favor), con las patas más fuertes que mi papá, con los ladridos más temibles que la voz de mi madrina enojada. La Veoveo era la mejor perra. La más loca también.

Cuando Veoveo llegó a Nacho (¡tanto tiempo sin saber de usted!, ¿cómo le ha ido?), Nacho se quedó sin vida.

El primer día que pasó conmigo, llegó a las seis en punto de la mañana a tumbarme de la cama para llevarme al baño. Una perra muy limpia la mía, pero a mí a esas horas de lo único que me dan ganas es de dormir. ¿Quién iba a pensar en bañarse a esas horas tan indecentes? Me resistí.

Fue inútil.

Entre ladridos, gruñidos y empujones, me obligó a hacer pipí y a bañarme. Creo que fue hasta quince días después cuando pudimos pactar que me lavara la cara a cambio del baño.

De ahí me llevó a la cocina, y como dos horas después pude entender que quería que los dos desayunáramos. Y así lo hicimos. El problema era que la Veoveo estaba entrenada para hacerme independiente, por lo que descartó que mi mamá me sirviera unos frijolitos con huevo. Todo tuve que hacerlo yo, que, por supuesto, me había negado hasta ese momento a aprenderme el lugar donde se guardan las cosas en la cocina. Pero aquella mañana empecé. Dejé un tiradero, pero al final encontré la leche, el café (el azúcar no, porque no soy menso: si uno no ve, la ley de las probabilidades indica que en vez de azúcar, uno le va a poner sal al café con leche) y un pan duro que yo creo que mi santa madre me dejó a propósito.

Luego había que recoger el tiradero, porque, insisto, la mía es una perra muy limpia.

En eso me dieron las tres de la tarde, y vuelta a empezar.

Entonces sí la Veoveo permitió que mi mamá me sirviera (yo creo que nació con un radar contra los pésimos cocineros como su servidor), pero al terminar de comer, me empujó la silla, me tiró al piso y me arrastró al lavadero. ¡¿Lavar los trastes yo?! Pues sí, a lavarlos. Digamos que aquel primer día, cuando mucho, les remojé la mugre, pero logré convencer a la perra de que con la voluntad bastaba.

Luego era la hora de la diversión.

Imagínense la escena: un niño ciego, amarrado a una perra loca a la que le daba por correr por todo el bendito pueblo. Todo. De nada sirvieron mis quejas; de nada, mis gritos; de nada, fingir que me había torcido un tobillo. Nada sirvió de nada. A correr.

Lo bueno es que a las seis se le quitaron las ganas de hacer ejercicio y ya con la lengua de fuera pudimos volver a la casa, donde fue a sacar mis libros de la escuela (en Braille, cabe aclarar por si a alguien se le había olvidado) en el lugar especial donde yo los escondo en vacaciones para no tener que tropezarme con ellos y sufrir por adelantado el comienzo de las clases. Pero Veoveo los encontró y, todos babeados, me los puso enfrente.

Yo, sentado, tratando de descansar, y enfrente de mí, una perra loca que determinó que era hora de estudiar. ¡Qué desesperación!

A las ocho, la cena. A las nueve, al baño otra vez, tuviera ganas o no de lavarme los dientes. A las diez, a la cama (eso en vacaciones, pero mejor ni hablamos de los días de escuela), y a las seis del siguiente día, vuelta a empezar.

A los pocos días yo ya no tenía fuerzas ni para rezongar. Estaba tan pero tan cansado que me quedaba dormido cada dos de tres actividades que la Veoveo inventaba para mí.

Cuando no eran las corretizas infernales, se aventaba al río conmigo detrás. La primera vez casi me ahogo, pero además de limpia, loca y muy lista, la Veoveo es muy buena nadadora, por lo que yo, casi asfixiándola de tan fuerte que me agarraba a su cuello, pronto aprendí a nadar. Y fue peor, porque en cuanto se dio cuenta de que ya no había riesgo de que me ahogara, se alejaba de mí cada vez que yo intentaba pescarme de ella para descansar un poco los brazos.

Y esa era la parte sensata de la Veoveo, pero la parte de locura todavía es momento que la padezco, aunque ya sin tratar de entenderla.

Un día determinaba que quería sentarse a mitad del kiosco y no había poder humano que la moviera de ahí, por más que los músicos trataran de convencerla de que era domingo y tenían que tocar, precisamente, en el kiosco. Otro día quería que nos subiéramos al campanario de la iglesia para tocar las campanas. Al otro, que tomáramos agua de horchata del mismo plato (el de ella). Luego me escondía un zapato. Después, a fuerza que durmiéramos en la misma cama mi mamá, mi papá, ella y yo. Y así, mi vida se fue a un abismo.

Nadie me lo dijo, no hubo quien me enseñara la moraleja, cero sermones, Nacho (disculpe que no le dé la mano, pero es que no puedo ni moverla del cansancio) entendió que algo había venido haciendo mal en todo su tiempo de vida.

Si a uno le dicen, por ejemplo, que tiene derecho a pensar en lo que quiera, siempre y cuando no afecte el derecho de los demás, suena muy bien. Pero a uno se le olvida y a otra cosa. Veoveo me enseñó lo importantes que son las libertades y los derechos ajenos, y me enseñó no con teoría, sino con la purita práctica: su libertad me convirtió en un trapo viejo que siempre estaba cansado de hacer lo que no se le pegaba la gana hacer.

Sin darme cuenta, fui cambiando.

—¿Cómo te va con la perra? —me preguntó el padrino un par de meses después de haberme regalado a la Veoveo.

—¡Excelente! Ya le enseñé que el camino más corto entre mi casa y la escuela no pasa por tooooodos los postes eléctricos del pueblo —le contesté verdaderamente feliz de haber logrado ese avance.

A partir de ese momento, algo empezó a cambiar. De pronto todos, hasta don Herminio, me ayudaban a controlar a la perra. Un buen día mi mamá le empezó a hablar fuerte a la Veoveo cuando veía que se estaba pasando de la raya. Repentinamente los niños de San Juan inventaron juegos donde la perra y yo pudiéramos participar. Una linda mañana descubrí que usar de pretexto mi enfermedad era una cosa de locos, y para locos ya había suficiente con la perra.

Las moralejas no sirven de mucho, por más que los fabulistas traten de creer que sí. Lo que sí sirve es conseguirse el modo de tomarse una cucharada del mismísimo chocolate que uno antes preparó.

A Nacho (fue un verdadero honor conocerlos), efectivamente, le tocó una suerte muy perra que se llama Veoveo. Llevamos casi ocho años juntos (o sea que, oficialmente, esto es amor), yo estoy a punto de entrar a la universidad y ella cada día está un poco más loca.

Artículo 14: Los niños y las niñas podemos pensar y creer en lo que queramos.

Artículo 23: Quienes padecemos algún problema físico o mental tenemos derecho a recibir ayuda especializada y a participar plena y dignamente en la sociedad.

Luis Eduardo a la una...

Toño Malpica

Esta historia tiene varios elementos importantes. El primero: una casa de muñecas color lila, con cochera y auto. El segundo: una computadora con conexión de banda ancha. El tercero: una niña tlapaneca. El cuarto: dos hermanos con dos nombres cada uno. El quinto: un perro con los ojos bien abiertos.

Hay que tener en cuenta todos esos detalles porque todos tienen mucho que ver con esta historia que voy a contar y que es absolutamente cierta.

Muchos pensarán que no es así, que me lo he inventado todo, que las personas no son así y que más me valdría guardarme mis mentiras para mí. Pero miren si yo sabré de personas. Por eso es que puedo contar este relato.

Y por eso, para iniciar, vayamos directo a uno de los elementos de mi lista. Un perro con los ojos bien abiertos. Y las orejas, ni se diga.

Gorila, para servirles. Sé que no es un nombre muy apropiado para un perro, pero es el que me asignó el padre de los dos hermanos con dos nombres cada uno, y ni modo de molestarse por ello. Cuando el hermano menor era muy pequeño le atemorizaban los gorilas (en algún lugar vio pedazos de la película King Kong y no durmió por varias noches). Así que el padre le regaló un cachorro de San Bernardo, uno que se llamaba Gorila (para servirles), con la intención de que el miedo del niño se fuera para siempre. No sé nada del miedo a los gorilas, pero sí sé que el pequeño, desde entonces, ha sido mi mejor amigo.

Es raro ver a dos mejores amigos como nosotros. Imaginen la estampa: nuestras narices se tocan una con la otra cuando estamos de pie, frente a frente y jugando a mirarnos hasta que nuestros dos ojos se vuelven uno solo.

Lo que nos lleva al siguiente elemento de esta historia. Dos hermanos con dos nombres cada uno. Luis Eduardo y Carlos Alberto. El primero, de cinco años. El segundo, de nueve. Uno, con tal capacidad de risa e imaginación como no han visto antes. El otro..., bueno, el otro, un poco más práctico. ¿Cuál es la diferencia? Luis Eduardo jugaba con sus muñecos y los hacía hablar y cobrar vida (aunque, para ser justos, también podía hacer hablar a los zapatos, las plantas y, ejem, los animales, si se lo proponía). Carlos Alberto, en cambio, solo jugaba si había un sentido práctico en el juego, es decir, solo jugaba futbol, Turista o...

Y esto nos lleva al siguiente punto en nuestra lista. Una computadora con conexión de banda ancha. Si me preguntan qué es eso, no tengo la menor idea. Solo sé que es un aparato en el que los humanos pueden pasar una muy buena parte de su vida. Contra algo así solo compite una televisión con cable. Las personas pueden dejar sus vidas entre esos dos aparatos, se lo digo yo, que tengo los ojos bien abiertos, y las orejas, ni se diga.

Carlos Alberto jugaba varias horas en su computadora con algo que se llama internet, a diferencia de Luis Eduardo, que prefería hacer hablar a las plantas del jardín con las libélulas del estanque, o a su perro Gorila con el periquito verde de Celeste.

Celeste. Nuestro siguiente elemento. Tan importante como tal vez lo sea esta pequeña historia.

Celeste era una niña tlapaneca que vivía con los Borrondo Gurrurquide (así se apellidan los dos muchachos y, claro, sus papás. El señor, Borrondo. La señora, Gurrurquide. Y estaban muy orgullosos de sus apellidos, tanto como de la gran casa en la que vivían o de los grandes autos que conducían). Celeste era tlapaneca porque su mamá era tlapaneca, aunque no sabía mucho qué significaba esto. Su mamá sí lo sabía, pero no le daba importancia, como tampoco le daba importancia a su apellido; había emigrado de un pueblo llamado Tlapa a la ciudad y, desde hacía más de diez años, trabajaba con los Borrondo Gurrurquide, quienes, por cierto, eran muy buenos con ellas. Sobre todo en las Navidades y en los cumpleaños.

Celeste tenía siete años. Dos menos que Carlos Alberto. Dos más que Luis Eduardo. Y, al igual que este último, prefería imaginar cosas que jugar con sentido práctico.

Y esta breve historia comienza cuando Luis Eduardo fue con Celeste a la pequeña casita que ella ocupaba en el otro extremo del jardín con su mamá y le regaló a Gorila, es decir, a su servidor.

La primera reacción de Celeste fue de alegría. Luego, de asombro. Sabía que Luis Eduardo y yo éramos los mejores amigos. Algo no marchaba, no marchaba.

Celeste invitó a Luis Eduardo a pasar a su casita, pero él no quiso. Se veía triste. Y, aunque sí aceptó dos chupadas de la paleta que traía Celeste en la boca, solo le contó, muy brevemente, que no quería que yo terminara en Hong Kong.

Sobra decir que ni Celeste, ni Luis Eduardo, ni mucho menos su servidor sabíamos dónde estaba Hong Kong, pero no nos gustaba nada el nombre (a lo mejor porque rima con King Kong). Pero la verdad es que esa tarde me quedé a dormir en el jardín, al lado de la casita de las Sánchez García, que es como se apellidaban Celeste y su mamá, y no al lado de la cama de Luis Eduardo Borrondo Gururquide, mi mejor amigo.

Al otro día, por fin pudo Celeste averiguar qué pasaba: Carlos Alberto estaba vendiendo a Luis Eduardo en internet.

Ustedes se preguntarán si un hermano puede hacer tal cosa y yo habré de responderles que supongo que no. Pero cuando los papás de dos hermanos —tengan estos dos nombres, ocho o ninguno— se encuentran de vacaciones en un sitio lleno de nieve y no desean ser molestados, puede ocurrir cualquier cosa. De hecho, lo que dijeron al partir fue: "No vayan a darnos lata por tonterías, escuincles, que hemos planeado este viaje desde hace mucho tiempo; hagan de cuenta que ni existimos", que quiere decir más o menos lo mismo.

Y, pues, Carlos Alberto estaba vendiendo a Luis Eduardo en internet.

De hecho, lo estaba subastando, que es algo parecido a una venta, solo que, al final, se lleva el producto quien haya ofrecido más dinero. Carlos Alberto les mostró la pantalla de la computadora a Celeste y a Luis Eduardo. Un señor en Alemania ofrecía veinticinco dólares con ochenta centavos. Otro en Italia, veintiséis dólares con trece centavos. Pero les ganaba a todos un señor en Hong Kong. Veintiocho dólares cerrados. "No vales mucho, enano", fue lo que dijo Carlos Alberto. "Pero igual me alcanza para comprarme un videojuego".

También les enseñó a hacer la operación en una calculadora llavero que a Celeste le regalaron unos tíos veracruzanos. Un dos, luego un ocho, luego apretar el signo de multiplicación, luego un uno, luego un tres, luego el signo de igual. Trescientos sesenta y cuatro pesos. Mucho dinero. Mucho, mucho dinero.

Celeste comprendió que Luis Eduardo le hubiera obsequiado a Gorila. Carlos Alberto no se lo explicó, pero ambos supusieron que, si Gorila era de Luis Eduardo, el señor que después fuera dueño de Luis Eduardo también sería dueño de Gorila.

Tanto Celeste como Luis Eduardo se pusieron muy tristes. Desde entonces estuvieron al pendiente de quién ofrecía más dinero por él. Y Luis Eduardo siempre me iba a visitar a la pequeña casa al fondo del jardín antes de irse a la cama.

Cuando un señor que vivía en Bolivia ofreció cuarenta dólares con quince centavos (un cuatro, un cero, un punto, un uno, un cinco, multiplicación, un uno, un tres, signo de igual, mucho dinero) a Luis Eduardo le dio gusto. Prefería vivir en Bolivia que en Hong Kong. Incluso hasta se puso a buscar Bolivia junto con Celeste en el globo terráqueo que tenía su papá en el estudio y solo lamentó que el país no tuviera playas. "A lo mejor tienen lagos muy bonitos", lo consoló Celeste. A ambos les gustaba mucho el mar, aunque Celeste solo lo conociera por fotografía.

Lo cierto es que, en cuatro días, Luis Eduardo ya se había mudado (es una forma de decirlo) a Suecia, a Estados Unidos, a Francia, había regresado a México y luego, vuelto a partir a Australia. Cuando el señor mexicano ofreció por él cuarenta y tres dólares con diez centavos, Luis Eduardo pensó que sería bueno quedarse en el país para visitarme los domingos y visitar también a Celeste, de quien se había hecho muy buen amigo en los últimos días. Ya eran buenos amigos antes, pero a raíz de que Luis Eduardo partiría pronto, se habían hecho casi tan buenos amigos como lo éramos él y yo.

El hombre de Australia ofreció cuarenta y cinco dólares. Y por varios días nadie mejoró su oferta. Celeste y Luis Eduardo investigaron todo cuanto pudieron respecto a Australia. Tenía mucho mar, lo cual era muy bueno. Y solo ahí había canguros, que eran unos animales que le gustaban mucho a Luis Eduardo. Y no había gorilas. Aprovechando los tiempos en que Carlos Alberto salía de la casa a jugar futbol con sus amigos, usaban su computadora y hacían estas investigaciones. Ponían la palabra *Australia* en una barrita de la esquina derecha de la pantalla y aparecían muchas líneas que hablaban del país. Es cierto que a la mamá de Celeste, que se había quedado encargada de la casa, no le gustaba que los muchachos husmearan en el cuarto de Carlos Alberto, pero se lo permitía porque, en el fondo, disfrutaba mucho viéndolos juntos.

Luis Eduardo preparó sus maletas. Quedaban dos días para que se cerrara la venta. Lamentaba no saber inglés, pero tal vez el señor que lo estaba comprando le enseñaría. El señor se apellidaba Smith, y Luis Eduardo pensó que se oía bonito. No tan bonito como Borrondo pero no creía que nadie en Australia se apellidara Borrondo.

"No te hagas ilusiones, enano", le espetó Carlos Alberto cuando fue a preguntarle si alguien en otro país había ofrecido más por él. "No vas a ser su hijo, vas a ser su esclavo. Además, es cierto que en Australia hay canguros y koalas, pero también hay cientos de cocodrilos en las calles, y los tiburones te brincan hasta en la tina del baño". Luis Eduardo y Celeste corroboraron ese dato al día siguiente, cuando Carlos Alberto se encontraba fuera. Les dio miedo. También buscaron la definición de la palabra *esclavo* y se pusieron tristes como nunca antes.

Ese último día se sentaron en el jardín, recargados en mí, pensando en qué oportunidades tendría un niño de su tamaño, un niño cuya nariz toca la de su perro mientras está de pie, contra un tiburón de cuatro metros como los que hay en Australia. Eso sin contar que el señor Smith le diera de latigazos por no obedecerlo. La tarde cayó y ambos dejaron escapar un par de lágrimas, pero ninguno permitió que el otro lo notara. Luis Eduardo se despidió con un beso de Celeste, luego de mí, y se metió a la casa. Se durmió soñando que un canguro lo metía en su bolsa y lo llevaba brincando hasta las azules montañas australianas, donde los koalas le contaban cuentos y las estrellas estaban tan cerquita que las podía tocar con la mano.

A las once de la mañana, Luis Eduardo se presentó en la habitación de su hermano. Tenía puestas sus únicas botas y sus mejores pantalones cortos. También llevaba un sombrero de vaquero y un cuchillo que había tomado de la cocina porque había visto imágenes de gente australiana que se vestía así para luchar con los reptiles. Carlos Alberto se había acostado tarde por estar jugando a la guerra en internet y aún no se levantaba cuando su hermano entró en su cuarto. Luis Eduardo tuvo que zarandearlo para que despertara.

Carlos Alberto se apoyó en los codos, molesto, y lo mandó de regreso a su cuarto arrojándole una almohada, pero el hermano no obedeció. Deseaba saber a qué horas vendrían a recogerlo y si al final hubo alguien que ofreciera más dinero por él (mientras se vestía, había rezado un padrenuestro para que un señor en México ofreciera un poquito más y lo ganara). Carlos Alberto, sumamente disgustado por la insistencia de su hermano, tuvo que ponerse de pie e ir a la computadora (en esos días de vacaciones ni siquiera la apagaba). Después de un rato, con aire triunfante, le anunció a su hermano que ahora pertenecía al señor Smith, el australiano. Le deseó suerte contra los tiburones y se volvió a arrojar en la cama.

Luis Eduardo suspiró. Pensó que a lo mejor el cuchillo que había tomado de la cocina no era de buen tamaño. Pensó que a lo mejor los koalas te muerden si les caes gordo. Entonces entró Celeste al cuarto de Carlos Alberto sin pedir permiso, algo nunca antes visto. "¿Qué demonios haces aquí, niña?", gruñó Carlos Alberto al verla. (Carlos Alberto consideraba una pérdida de tiempo aprenderse el nombre de cualquiera. A mí siempre me decía *perro*. Y a Celeste, *niña*.)

Pero entonces Celeste le puso en la mano seiscientos cincuenta pesos. "Cincuenta dólares", dijo. Recién había hecho la cuenta. Me consta porque yo estaba a su lado (un cinco, un cero, multiplicación, un uno, un tres, signo de igual, mucho dinero para una niña, mucho, mucho dinero). "Cincuenta dólares", repitió. Y Carlos

Alberto, sonriente, metió el dinero en su cartera, sobre el buró. Se volvió a acostar, pero antes le dijo a Luis Eduardo que ya tenía dueña y que se fuera con ella. De hecho le dijo: "Lárgate con la niña, enano, y no vuelvas a pisar la casa", que quiere decir más o menos lo mismo.

Y pasaron siete días más, antes de que volvieran los señores Borrondo Gurrurquide al hogar: la señora se la había pasado quejando del frío todo el tiempo, sin atreverse a salir de la habitación del hotel; el señor se la había pasado jugando a las cartas en el casino del hotel. Y ninguno de los dos esquió una sola vez, pese a que ese había sido el plan original.

Siete días. Pero fueron siete días espléndidos. Luis Eduardo dormía en la misma cama que Celeste y se contaban historias de tierras lejanas, de montañas azules y especies animales nunca antes vistas en América. Jugaban todo el día en el jardín conmigo y con el periquito verde. Y hacían hablar y cobrar vida hasta a las piedras. Fue al cuarto día que descubrieron en internet que un niño no puede ser vendido por nadie, pero ya no les importó. También descubrieron que los niños tienen muchos otros derechos, pero tampoco hicieron mucho caso. Estaban tan contentos que ya ni se acordaban del temible látigo del señor Smith.

Se acordaron solo al término de esos siete días, cuando volvieron los señores Borrondo Gurrurquide: el señor echando humo; la señora diciendo que jamás volvería a salir de vacaciones en toda su vida. Carlos Alberto había comprado tres videojuegos, y como no supo explicar de dónde había sacado el dinero, salió a la luz la verdad.

El hermano mayor fue castigado durante una semana por intentar vender por internet una tele vieja que ni servía (alguien en Australia se vería muy decepcionado, esa es la verdad). Y el señor Borrondo, que no se conmovía fácilmente, le restituyó a la hija de su sirvienta tlapaneca el dinero que había pagado por su hijo.

Y todo terminó bien.

La señora de la casa se arrepintió de sus palabras demasiado pronto y deseó que fueran todos a la playa de vacaciones. Y al decir todos se refería, justamente, a todos. Borrondos, Sánchez, pericos y Gorilas. Todos.

Carlos Alberto no salió nunca del cibercafé del hotel. Y su padre, del casino. Pero el mar resultó toda una experiencia para nosotros, incluyendo a los que no lo conocíamos ni en fotografía.

A mí se me ocurrió, mientras veía a Celeste y a Luis Eduardo tomados de la mano, brincando las olas sin miedo de tiburón alguno, que un niño tiene derecho a muchas, muchas cosas. A ser querido, por ejemplo. Pero también es cierto que algo así, entre niños, se da por descontado. Al menos entre niños como los dos que, en ese momento, distinguía con mis ojos bien abiertos, llenos de arena y mar, y mis orejas, que ni se diga, repletas de risa y gaviotas.

Ah, por cierto. Cincuenta dólares es más o menos en lo que se puede vender una casa de muñecas color lila, con cochera y auto, a mitad de la noche, no importando que haya sido el mejor regalo que hayas podido recibir en Navidad o cumpleaños alguno.

Es absolutamente cierto.

Artículo 35: Nadie puede comprar o vender a un niño o a una niña.

Naufraganombres

Juan Pablo Gázquez

CATERINA CAMINABA POR EL parque cuando lo vio.

Era jueves. De haber sido miércoles, nunca se le habría ocurrido mirar hacia arriba. Los miércoles, Caterina apuntaba toda su atención al suelo porque le parecía que era el día más propicio para descubrir arañas brillantes, escarabajos o ciempiés, e incluso, si tenía suerte, alguna ardilla que hubiera descendido a tierra.

Puedes apostar todo el oro del mundo a que no lo habría visto, pues el niño estaba muy pero muy callado allá en lo alto. Por suerte (o por mala suerte, solo el resto de esta historia lo dirá), como cada jueves, Caterina estaba mirando hacia arriba.

Todos los árboles del parque estaban poblados por gorriones pardos y urracas negras. Todos menos uno, cuyos vuelos y aleteos eran todo azul y amarillo. Hace unos años, un ingeniero aeronáutico que volvía del mercado tropezó con una raíz. La jaula que cargaba en los brazos voló por los aires, se estrelló contra el suelo y la pareja de periquitos australianos aprovechó la oportunidad para escapar volando. Los pájaros evadidos anidaron en aquel árbol por sus ramas amplias y frondosas. Desde entonces, poco a poco, Caterina había visto crecer la familia.

La semana pasada había contado veintidós periquitos: ocho verde-amarillos, catorce azules.

Pero este jueves su cuenta se detuvo en seco porque en lugar del periquito número siete se apareció entre las hojas la cara de un niño. No se había equivocado. Estaba de pie en una rama muy pero muy alta, y Caterina se preguntaba cómo diablos se las había arreglado para trepar hasta allá arriba sin ayuda: las ramas más bajas estaban totalmente fuera de alcance. Definitivamente no estaba dispuesta a irse a casa sin averiguarlo.

—¡Eah! —llamó, ahuecando las manos como un megáfono.

El niño no dio señal de escucharla. Con la mirada vacía, parecía perdido en el gorjeo y los saltos de los pájaros verdes y azules entre las tupidas ramas que lo rodeaban.

—¡Hey, tú! ¡Allá arriba! ¡Hola!

El niño parpadeó un par de veces y bajó la mirada. Sus ojos eran muy rasgados, como los de las personas del lejano oriente, y Caterina estaba comenzando a preguntarse si hablaría español cuando el niño contestó:

—¡Hola!

Agitaba la mano como un explorador del polo norte que hacía mucho tiempo no hubiera visto otro ser humano. Y antes de que Caterina acertara a formular una de las muchas preguntas que le rondaban por la cabeza, el niño preguntó educadamente:

—¿Este árbol es tuyo?

El niño no había sonreído ni un pelo en ningún momento. Caterina estaba un poco celosa de no ser ella la jinete de las ramas, quizá por eso dijo con un inesperado tono de severidad:

—¡Por supuesto que es mío! Y es de muy mala educación trepar a un árbol ajeno. ¿Cómo llegaste hasta allá?

Alarmado, el niño apuntó a un lugar ocho árboles más lejos. Caterina adivinó de inmediato la ruta de ascenso como si el camino de salida de un laberinto hubiera sido resaltado con luz amarilla. El árbol lejano tenía ramas muy bajas que casi llegaban al suelo, podía empezar trepando unos cuantos metros y desde ahí pasar a una rama cercana del árbol vecino, luego izarse con los brazos dos pisos más y pasar al siguiente árbol, y así sucesivamente hasta alcanzar la posición del niño. No era un camino evidente más que para un buen trepador, y Caterina era una excelente trepadora.

Dejó su mochila en el suelo y emprendió la escalada.

Aunque siempre había asideros sólidos a la mano y la vegetación no le impedía avanzar, la rama del niño estaba muy lejos del suelo y Caterina se demoró en alcanzarla. Nunca antes había trepado tan arriba ni visto tan de cerca los colores encendidos de los periquitos, su mochila se veía como una diminuta mancha azul y roja junto a la base del tronco.

El niño se había sentado y la esperaba sumido en un silencio lleno de preocupación. Caterina se percató hasta entonces de lo raro que era su atuendo: en la cabeza llevaba un gorro de fieltro con dos orejeras a cuadros que colgaban a los lados, una camiseta azul cielo con un maltratado número siete en el pecho, gruesos guantes de soldador, pantalones cortos y en los pies sin calcetines unas peludas y viejas pantuflas que imitaban las patas de un oso.

Aunque todavía no recuperaba el aliento perdido en la subida, Caterina se sentó enfrente tratando de lucir lo más severa posible.

—¿Me vas a decir para qué subiste hasta acá?

Por un momento el rostro del muchacho se iluminó.

—Estaba a punto de… —Su rostro volvió a ensombrecerse—. En fin, si es *tu árbol* ya no creo que sirva de nada.

—Mmmh. Mira, si me cuentas todo, pero todito, puede que te firme un permiso.

—¿En serio? Pues estoy construyendo *algo* —dijo en tono de conspiración.

—¿Qué? ¡Dime!

— Bueno… Una casa.

¡Construir una casa de madera en un árbol! Eso era algo que Caterina siempre había soñado hacer. Su envidia se volvió efervescente a borbotones.

—Tendré que checarla —dijo recobrando su aire severo—. No sé si sabrás que soy una especie de inspectora de casas de árbol…

El niño parecía resignado.

Caterina lo siguió por una rama muy ancha hasta un hueco en el tronco que parecía la cabeza de una cuchara. En su interior, dispuestas en círculos, yacían decenas de hojas redondas, varitas y cientos de plumas verdes y azules, además de muchas otras cosas que cubrían los filos de la corteza y formaban un estupendo colchón.

—¡Esto no es una casa de árbol! Las casas de árbol son de madera, de lámina o de cartón, ¡pero no son así!

—Es lo que los pájaros estaban haciendo.

—Tú no eres un pájaro. Eres un niño.

—¡Ah, tampoco hay tanta diferencia!

—¿Y duermes aquí?

El niño asintió y Caterina suspiró. Esperaba que al menos pudiera ver la diferencia en cuanto a *volar*.

—¿Entonces, tú eres Luz? —preguntó él de pronto.

—¿Luz? ¿Yo? No. ¿Por qué?

Por primera vez, los ojos del niño se entornaron con desconfianza.

—Este árbol pertenece a Luz. Vi el nombre grabado en la base del tronco. Primero pensé que el árbol se llamaba así (y le quedaba bien el nombre, porque la luz alcanza a todas las hojas, ¿ves?), pero luego me di cuenta de que el dueño lo había marcado para indicar su propiedad. Soy muy listo, ¿sabes?

Caterina recordó entonces el corazón con el nombre y la flecha atravesada que algún cursi enamorado había grabado en la corteza con una navaja. Aquella inscripción estaba allí desde antes de que ella naciera. Este era ciertamente un niño muy extraño.

Caterina le explicó lo que significaba el nombre grabado. El niño parecía muy impresionado por la noticia.

—Me llamo Caterina, por cierto —dijo ofreciéndole una mano y sonriendo.

El niño permaneció serio por un instante, luego sonrió también. Lo hizo de una manera tan exagerada y poco natural que Caterina pensó que bien podría ser la primera vez que lo hacía en su vida. Sus dientes parecían muy afilados.

—¿Y bueno…? —inquirió de pronto ella.

—Y bueno ¿qué?

—¿Y tú cómo te llamas?

—¿Por qué quieres saberlo? ¿Piensas decirle a la policía que me subí a tu árbol sin permiso?

¿Se habría escapado este niño de su casa? ¿Estaría ocultando su identidad para huir de la mafia?

—No voy a llamar ningún policía. Yo te dije mi nombre. Soy Caterina. Ahora tú tienes que decirme el tuyo, así funcionan las cosas.

El niño bajó los hombros.

—No puedo decírtelo.

Caterina no podía creerlo. ¿Quién se creía ese para negarse a decirle cómo se llamaba? Ni que fuera un marqués de nombre exclusivo.

—Mira que si no me dices te cancelo todos los permisos y te mando echar de mi árbol, sin escalas.

Las cejas del niño se arquearon en una mueca de angustia. Entonces cerró los ojos y se concentró con todas sus fuerzas. Era evidente que estaba haciendo un esfuerzo enorme. Volvió a abrirlos, derrotado, y suspiró.

—No es tan fácil como crees.

Caterina se acordó de una tía que había perdido por completo la memoria. Pero ¿cómo se llamaba aquel trastorno? De pronto se le iluminó el foco.

—¿Es porque tienes *amnistía* y no puedes recordar nada, ni siquiera quién eres?

—No es eso.

—No me vayas a salir con que no tienes nombre. Todo mundo tiene nombre.

—¡Claro que tengo nombre! —se apuró a contestar algo ofendido—. Solo que el mío es uno de *esos otros* nombres, ¿me entiendes?

—¿Uno difícil de pronunciar?

En realidad Caterina pensó: "¿Un nombre muy feo?", pero no lo dijo por ser amable.

—No, aunque puede que sí.

—¿Uno extranjero, lleno de consonantes e imposible de deletrear?

El niño negó con la cabeza.

¿Entonces de cuál *otro* tipo de nombre? —gritó ya francamente desesperada.

—Uno de *esos*. Del tipo escurridizo.

—No entiendo nada.

—En realidad he estado a punto de tener un montón de nombres, pero al final nunca se decide.

—¿No se decide quién? ¿Tu mamá? ¿Me estás diciendo que nunca te puso un nombre?

El niño se encogió de hombros.

—¡No! ¡Mi nombre es el indeciso! Es como si fuera una cerradura que no ha encontrado la llave que pueda abrirla. Como un chorro de agua que en lugar de tomar la forma de una jarra la hiciera estallar en mil pedazos. Hasta ahora no le ha gustado ninguna combinación de letras para adoptarla definitivamente, pero está ahí, puedo sentirlo, siempre cambiando de forma, siempre moviéndose.

—¿Tu nombre cambia? ¿Quieres decirme que ahora mismo se está transformando?

—¡Todo el tiempo! A veces, de un cambio a otro, le gusta algo y entonces ajusta la cola, vibra como un cascabel y parece que va a quedarse quieto. Pero eso nunca dura más que unos segundos. Hace un rato, mientras veía a los periquitos, pensé que casi lo tenía, pero a los cinco minutos había estirado las patas, torcido los ojos, barrido las enes y de casi ser Joaquín había pasado casi a ser Roberto. Entonces las erres se desprendieron como hojas secas y había pasado casi a Beto, luego casi a Bo… Al final volvió a quedar en nada.

Caterina entendió que decía la verdad. Imaginó los candidatos de nombre de ese niño hundiéndose en el mar como montones de barcos de papel mojado. No pudo contener una mirada de compasión. Al sentirla encima, el otro tiró de las orejeras de su gorro y se puso rojo.

—Bueno, en realidad no es tan malo como crees. Cuando quiere puede ser el nombre más divertido del mundo. De hecho, pensándolo bien, me alegro que nunca se haya quedado quieto, así puedo tener la impresión de tener muchos nombres, todos los nombres posibles, solo para mí. En cambio, por ejemplo, tú solo tienes uno. ¡Qué aburrido debe de ser!

—¡Nadie tiene muchos nombres! —Eso no era estrictamente cierto. Caterina tenía una tía cuyo nombre era Úrsula Beatriz Matilde Concepción Aurora Boreal Cora Ángela Susana Del Rincón Izquierdo, pero no era momento de traerlo a cuento a la conversación.

—¡Y tú no tienes ninguno! Eso es terrible.

El niño no se daba cuenta de la gravedad de la situación.

—Tampoco puede ser *tan* importante…

—¡Cómo que no! ¡Necesitas un nombre para todo! Para sacar un pasaporte. ¡Para vacunarte! Para ir a la escuela, por ejemplo, tienes que registrarte primero, luego pasar lista y decir *presente* cuando escuchas *tu* nombre. ¡¿Cómo vas a firmar tus cuadros si te vuelves un pintor famoso?! ¡La gente se acordará de ti como "El niño del gorro ridículo" o "El niño de las pantuflas"! ¡Sin tu nombre pronto todos se olvidarán de ti! ¿Te das cuenta? La gente empezará a llamarte por apodos escandalosos a la menor provocación. El "Avechucho", el "Rarito"… No quieres eso, créeme. Si tuvieras un nombre, un solo nombre verdadero, la gente se acordaría de *tu* cumpleaños, podrían reconocerte entre toda una multitud y decir, por ejemplo, este —Caterina tocó el tronco— es el árbol de Alejandro.

La cara del niño se iluminó. Este último argumento pareció convencerlo por completo.

—¡El árbol de…! ¡Las pantuflas de…! ¡Hola, soy… y es mi cumpleaños! —Se relamía pensando en otros ejemplos en los que podría usar su nuevo nombre.

—¡De acuerdo! —dijo y estiró una mano enguantada.

Caterina la estrechó por reflejo.

—¿De acuerdo qué?

—¡Vamos a encontrarme un nombre! ¡Un nombre fantástico!

Caterina comprendió que había sellado un pacto y se asustó un poco, pero sabía que ya no podía echarse atrás. Pensó durante un rato.

—A ver, ¿nunca has probado elegir un nombre tú mismo?

—He tratado muchas veces, pero nunca le gustó. Creo que sospechó que estaba haciendo trampa y se puso a zumbar como loco.

—¿Y si pruebo yo? A ver… ¿Martín… Emiliano… Pablo…?

Caterina enumeró veinte nombres, y cada vez el niño negaba con la cabeza y daba la impresión de que algo invisible le vibraba en la panza.

—Primero te daremos un buen nombre. Luego ya veremos cómo darte apellidos.

—Los apellidos no me importan. Solo quiero un nombre fenomenal.

Se rieron.

En ese momento el reloj de la iglesia de la plaza dio las tres.

—Mi mamá va a matarme. Tengo que irme —dijo descendiendo rápidamente—. ¿Estarás aquí mañana?

El niño volvió a sonreír. Se veía que pronto conseguiría hacerlo con gran talento.

—¿A la misma hora?

—A la misma hora.

Sin pensarlo, Caterina se había adjudicado la misión de ayudar a este niño que navegaba como un náufrago en un mar de nombres sin encontrar asidero. Tenía que encontrarle uno, y fijarlo pronto, antes de que volviera a borrarse como una figura geométrica en un caleidoscopio girando a toda velocidad.

Esa noche Caterina reflexionó mucho sobre su propio nombre. En la cena hizo muchas preguntas a sus papás, y para la mañana tenía pensado su primer plan de acción.

A la salida de la escuela encontró al niño en el mismo lugar y le pidió que se reuniera con ella en el suelo.

Le sorprendió la agilidad con que se deslizaba por las ramas a pesar de llevar las pantuflas de oso falso y los guantes de soldador.

En el metro, al niño del gorro parecía divertirle absolutamente todo. Los pasajeros, los vendedores, el color de los asientos. Era como si lo viera todo por primera vez. Saltaba por los asientos vacíos, escalaba por los barandales y se deslizaba por los tubos como un bombero. La gente también lo miraba con ojos desorbitados y llenos de desaprobación. Al salir a la calle Caterina tuvo que impedir más de una vez que fuera atropellado por un coche al cruzar imprudentemente la avenida.

Se detuvieron frente a un edificio; parecía un gran cubo de cemento con muchas ventanas diminutas equidistantes y un gran letrero que anunciaba: REGISTRO CIVIL. Al entrar, sus pisadas resonaron en el mármol verde del piso. En el interior hacía frío. Detrás del mostrador de la recepción, un hombre enorme, con sombrero y sin sonrisa, leía un periódico. Caterina leyó un cartel con letras rojas que decía: EN CASO DE AUSENCIA DEL VIGILANTE, FAVOR DE TOCAR EL TIMBRE.

—Buenas tardes —saludó educadamente Caterina.

Sin levantar la cabeza, el del sombrero sacudió la cabeza, chasqueó con la lengua y señaló el cartel.

—El letrero. ¿Qué dice? —soltó con una voz ronca.

—Dice: "En caso de ausencia del vigilante, favor de tocar el timbre".

—Y entonces, ¿por qué no toca el timbre? Es un precioso timbre nuevo. ¿Por qué nadie quiere tocarlo?

—Porque dice: "En caso de ausencia del vigilante".

—Sepa que yo no soy el vigilante. Soy el portero.

Caterina iba a protestar, pero prefirió no empeorar las cosas y tocó el timbre. Instantáneamente, la voz del hombre cambió y se volvió dulce y melosa.

—Buenos días, señorita. ¿En qué puedo servirle?

—Venimos por un nombre. Para él.

—¡Para mí! Un nombre reluciente solo para mí —exclamó excitado el niño.

El empleado reaccionó como si fuera una computadora y no pudiera procesar un programa extraño.

—¿Registro de nacimiento o de defunción? —Carraspeó mecánicamente.

Caterina le susurró a su amigo.

—¡Estos tipos ya quieren enterrarte! —Luego volvió a dirigirse al hombretón—. Suponemos que es de nacimiento.

El funcionario respiró aliviado.

—En tal caso, hagan el favor de seguirme.

El hombre era tan grande que todo el tiempo Caterina y el Niño habían creído que estaba de pie, pero de pronto se levantó de su silla, los condujo hasta el ascensor y presionó el 5. El elevador se puso en marcha. Al abrirse las puertas sonó otro timbre, y Caterina y el niño entraron en una sala repleta de cientos de escritorios diminutos en donde cientos de hombres y mujeres garrapateaban encorvados sobre sus máquinas de escribir.

El guardia se dirigió a un hombre de lentes que masticaba chicle sin dejar nunca de escribir y le susurró algo al oído. Luego volvió al ascensor sin pronunciar palabra.

—¿Sí? —dijo, sin dejar de teclear a todo gas. Caterina vio que en su escritorio, en su silla, en su máquina de escribir y también en el collar de su camisa, podía leerse el mismo número: 001456.

—¿Vienen a registrar a alguien?

—En realidad solo necesitamos un nombre.

—¿Un nombre?

—Para él —dijo Caterina apuntando al niño.

—Sí, ¡para mí! ¡Para mí! ¡Y entonces todos podrán acordarse de mi cumpleaños!

Solo hasta ese momento las manos del hombre quedaron suspendidas sobre el aire, inmóviles.

—Esto es de lo más irregular. Normalmente registramos bebés recién nacidos o de hasta seis meses. —Caterina sospechaba que su sorpresa no se debía tanto a la edad del niño como a su extraño aspecto y actitud—. Tendrán que hablar con el director en persona —expuso secamente. Se levantó de su silla y les pidió que lo siguieran de vuelta al elevador. El último botón era de color rojo, y estaba tan arriba que el hombre, alto de por sí, tuvo que ponerse de puntas para presionarlo.

Al abrirse las puertas un sonido de gong (muy distinto al timbre que habían escuchado en el otro piso) retumbó de las bocinas del elevador. Una puerta de cristal grabada con el número 0001 apareció ante ellos.

El funcionario de los lentes tocó a la puerta. Del interior brotó una voz:

—¿Asunto? ¿Motivo? ¿Problema?

—Un acta y un registro, señor. De un niño de unos...

—Ocho años —dijo Caterina. De un vistazo notó que el niño tampoco tenía idea de cuántos años tenía.

—Adelante. Pase. Sea breve. —Se oyó la voz.

El hombre gordo que los recibió, como derretido hacia los costados de su sillón de cuero, no tenía el menor rastro de cejas. Sus ojos eran como los de un cochinillo y con ellos seguía los folios que una secretaria iba haciendo desfilar por el escritorio, en los que él estampaba brutalmente un sello a la velocidad de una máquina. Sobre todos los muebles y sobre su saco, se repetía la cifra: 0001.

—¿Acta de nacimiento? ¿De matrimonio? ¿Constancia de parto?

Caterina y el niño negaron al mismo tiempo con la cabeza.

—¿Constancia de inexistencia de nacimiento? ¿Residencia? ¿Cartilla de Vacunación?

—Me parece que no cuentan con ninguno de esos documentos, señor —dijo el de los lentes.

—Queremos un nombre y ya. No veo para qué se necesitan tantos papeles.

—¿Asunto? —repitió el hombre, como si no hubiera oído bien.

—¡Un nombre! Solo un nombre, ¿es tan difícil de entender?

—Ah, no, tiene que ser un nombre formidable —aclaró el niño.

—Al parecer está medio difícil, pero ustedes son expertos. Ese es su trabajo, ¿no? Escojan uno que le quede bien a él. ¿De qué le ven cara? —Caterina le dio la vuelta al niño para que los funcionarios se inspiraran.

El director empezó a tartamudear. Se veía que la cólera comenzaba a subirle por las patillas, y habría seguido por las cejas de haberlas tenido.

—¡Fuera! ¡Prisa! ¡Trabajo!

—Pero... —dijeron los niños

—Disculpe señor —dijo el funcionario...

Y antes de que pudieran pronunciar otra palabra, la secretaria los empujó al ascensor. Cuando las puertas se cerraron aún resonaban los gritos.

De bajada, el funcionario 001456 les dijo en un tono que tenía algo de complicidad:

—¿Saben? Nosotros no ponemos nombres, solo los registramos.

—Pero ¿no salen de aquí todos los nombres? ¿De qué sirven tantas actas si no pueden darle a un pobre niño un mísero nombre adecuado? —preguntó Caterina, ya enfadada mientras se abrían las puertas de la planta baja.

—El nombre lo eligen las familias, nosotros solo lo registramos —enseguida añadió en voz baja y en tono de disculpa, como si las paredes del ascensor pudieran oírlo—: la verdad es que no somos muy originales, no se nos ocurriría ninguno bueno.

En el camino de regreso, Caterina iba a preguntarle al niño si sabía algo de sus padres o sus familiares más cercanos, pero los ojos rasgados tenían una sombra tan triste que prefirió callarse.

Al salir del metro, él dijo que debían separarse en ese punto. Caterina lo vio partir, preguntándose si el niño se dirigiría hacia el parque o a otro sitio del que prefería no hablar.

Emprendió la subida a su casa con una creciente nube de preocupación oprimiéndole el pecho.

Al día siguiente, Caterina llegó al parque un poco antes que los días anteriores. Estaba radiante. Escaló el árbol con su mochila al hombro, y en cuanto encontró al niño extrajo de ella un periódico.

—¡Mira lo que encontré ayer! —le dijo—. Mi papá dejó el periódico en la mesa de la cocina. Me puse a hojearlo mientras comía un plato de cereal, ¡y ve el anuncio!

El niño comenzó a leer lentamente en voz alta con mucho esfuerzo, pero muy pronto se desesperó.

—Y, bueno, ¿qué tiene de interesante?

Caterina no había imaginado que el niño no supiera leer bien. Así que ella lo hizo por él:

—Dice:

Nombrería del sur
Bazar de nombres
Nombres de todo tipo
Tu nombre en el bolsillo

—¿A poco no parece magia? ¡Justo lo que estamos buscando! Cierran a las cuatro. ¡Apúrate! Todavía nos da tiempo.

El centro de la ciudad bullía de gente. La tienda estaba en una esquina entre dos callejones estrechos. Ana, una simpática joven, les dijo que exploraran la tienda a placer, e incluso les ofreció sin costo alguno un puñado de dulces verdes que burbujeaban en la lengua antes de liberar un nombre líquido agridulce.

El lugar era extraordinario.

Había nombres de hielo para derretir; flores que producían una corola de nombres púrpuras antes de marchitarse y desaparecer; nombres que, nadando en peceras enormes, emitían cadenas de burbujas con diminutas consonantes en su centro que se hundían lentamente en el fondo arenoso después de reventar en la superficie; había caracoles de mar que susurraban nombres al oído. En una parte más oscura se apilaban garrafones repletos de luciérnagas en cuyo abdomen brillaban intermitentemente los nombres formando las más espléndidas combinaciones. Los anaqueles exhibían diccionarios de nombres, novelas cuyas páginas solo contenían nombres, y una sección de repostería de nombres glaseados (con libros de recetas de nombres). No faltó un perico rojo con los ojos vendados que adivinaba tu nombre.

Le contaron a Ana su misión y ella les permitió probar cuanto quisieran para cumplirla. Pero desafortunadamente todo falló. Ante cada nuevo nombre, el niño de ojos rasgados repetía.

—No. No. No. No sirve. Ya ha vuelto a cambiar.

Incluso el perico, que gritó "¡Caterina!" en cuanto la tuvo delante, guardó silencio ante el niño, luego empezó a murmurar como si contara a toda velocidad números en voz baja y finalmente a echar espuma amarilla por el pico hasta que Ana decidió llevarlo al veterinario.

Mientras cerraba la cortina metálica del Bazar, les dijo:

—Podrías tener cara de Nicolás, ¿sabes? Tengo un sobrino que se llama Nicolás y se parece un poco a ti...

—Ya lo probé una vez. Tampoco se quedó.

—A lo mejor tiene que ser un raro nombre extranjero.

—No es eso, pero gracias de todas formas.

Se despidieron velozmente porque el perico tosía y tenía en verdad muy mal aspecto.

En el parque, Caterina y el niño subieron al árbol.

—Y, digo, ¿no podríamos simplemente robárselo a alguien? —propuso el niño.

—No somos ladrones. Además, el nombre no sería tuyo, tuyo.

—¿Entonces no podríamos comprar uno?

Caterina había escuchado que cierta gente compraba títulos aristocráticos, o mucho tiempo atrás, algunos esclavos venidos a más compraban un nombre para ser libres, pero nunca había oído que alguien comprara un nombre de pila.

—Soy rico, seguramente puedo pagar uno muy bueno. —Le mostró su tesoro: cáscaras de huevo azules, botones, pequeños motores deschavetados de cajas de música.

Caterina simplemente suspiró.

Esa noche no durmió armando combinaciones de otros nombres, revolviendo letras, pensando. Ninguno de los nombres que se le ocurrían pegaba con la imagen que tenía de su amigo. Se dio cuenta de que no sabía nada de él. Era misterioso en verdad, pero no podía evitarlo, ya le tenía cariño. Además ella era quien le había metido en la cabeza la idea de que no se podía vivir sin un nombre, y se sentía algo culpable. Se puso a pensar con más fuerza en él, en su nido del árbol, en sus pantuflas de oso, en sus orejeras, en su número siete y, sobre todo, en su risa afilada y en sus ojos rasgados. No importaba que no supiera nada más. Y poco a poco, al mismo tiempo que el sueño, las letras fueron cayendo en el pozo de su mente.

Caterina no pudo esperar y pasó a verlo temprano, antes de la escuela. Los periquitos australianos armaron gran escándalo cuando la sintieron subir. No lo encontró durmiendo en su nido en lo alto del árbol, como había esperado. Sacó su cuaderno, arrancó una hoja y escribió el nombre que había inventado solo para él. Añadió un contrato que en pocas palabras lo autorizaba a visitar el árbol y construir en él casas siempre que quisiera, y puso las hojas bien a la vista sobre las plumas, bajo el peso de una piedra para protegerlas del viento. Le costaría descifrar las letras, pero seguramente podría leerlo.

A la salida de la escuela volvió al parque. El nido seguía vacío, pero el papel había desaparecido. Al descender notó que en el tronco del árbol había algo distinto. Luego recorrió el resto del parque, mirando de cerca todos los árboles.

Caterina no volvió a saber del niño. Pero supo que, por fin, ese naufraganombres suyo estaba satisfecho y lo imaginó estirando las patas, erizando las escamas, ronroneando y brillando, contento de vestir su nombre nuevo. Se preguntó por qué el primer día no había podido pensar un buen nombre para el muchacho de las orejeras de oso. "A lo mejor teníamos que hacernos amigos", pensó.

Y por eso el parque junto al mercado, que no queda muy lejos de tu casa, es conocido por ese nombre encerrado en los corazones grabados de cada uno de sus troncos. Todos excepto uno. ¿Se te ha ocurrido trepar a ese árbol? Quizás llegues a descubrir un tesoro. Actualmente hay ochenta y seis periquitos, y contando.

Artículo 7: Tenemos derecho a un nombre, a una nacionalidad y, en la medida de lo posible, a conocer a nuestra mamá o a nuestro papá.

Artículo 8: A ningún niño o niña se nos puede privar de la identidad. Es decir, nadie puede quitarnos el nombre, la nacionalidad o la familia.

SOBRE COPROLITOS Y OTRAS CURIOSIDADES MENOS EMBARAZOSAS

Gabriela Aguileta

MARTINA Y FIDEL ERAN TAN DISTINTOS entre sí como una sopa de betabel y un chilpachole —que son en verdad muy diferentes—, pero tenían una pasión en común: eran cazadores de coprolitos. Y no, los coprolitos no son unos bichos molestos que salen de las almohadas viejas en las casas deshabitadas. No, tampoco son una marca de galletas de descuento en forma de animalitos, ni un grupo de rock decadente o una nueva pasta dentífrica. Los coprolitos son, señoras y señores, niñas y niños, fósiles de caca de animales que vivieron hace millones de años. ¡Esto es totalmente cierto! ¿No lo crees? Basta con buscar en cualquier enciclopedia para verificarlo. ¿Te parece extraño? Pero por qué sería

tan raro que existan caquitas fosilizadas. Después de todo, también hay dientes, pelos, plumas, garras y hasta huellas de pisadas que quedan grabadas en las rocas como prueba del paso de seres vivos, incluso humanos, que transitaron por ahí sin sospechar que, millones de años después, alguien reconstruiría su vida a partir de esa evidencia. Esos mismos seres del pasado lejano mucho menos sospecharían que alguien se pudiera interesar, tanto tiempo después, en el destino final de una de sus comidas. Porque en efecto, ¡con los coprolitos se puede reconstruir una travesía... pero por el tracto digestivo! Lo cierto es que uno no se vuelve cazador de coprolitos de la noche a la mañana. De hecho, uno no se vuelve cazador de coprolitos, uno se transforma en ello como en la metamorfosis, obligado por las circunstancias.

Martina y Fidel son lo que se puede considerar como cazadores accidentales de coprolitos. La historia de su transformación ocurrió más o menos así:

La pequeña ciudad de Zipitochi se dejaba derretir por el sol y arrullar con el vuelo en zigzag de los zopilotes hambrientos, mientras todo mundo dormía la siesta. El silencio reinaba en las calles y en la plaza central, porque el banco, el mercado, la oficina de correos, la escuela... ¡Todo el pueblo estaba cerrado! En el desierto las tardes pueden ser tan calurosas y somníferas que hasta las moscas quedan suspendidas en el aire y se las puede meter en un frasco de vidrio sin tapa del cual no saben salir nunca más. Tanto para los humanos, como para los animales, la actividad favorita en Zipitochi era dormir. Ese día no era la excepción: todos dormían. Eran alrededor de las tres de la tarde cuando un movimiento, al principio ligero y paulatinamente más fuerte, sacó a los durmientes de su sopor con una sacudida. La tierra crujió debajo del asfalto, las calles parecían surcadas por olas de cemento móvil y una grieta gigantesca se abrió en medio de la plaza central como si fuera la puerta de entrada al interior del planeta. Al principio, la gente se tardó en reaccionar y varios pensaron que los tremores eran parte de sus sueños, pero después, al caer de las camas, sillones o hamacas, los habitantes de Zipitochi se vieron obligados a admitir que el mareo no se debía al exceso de enchiladas, sino a un fenómeno de distinta naturaleza.

La gente salió a la calle aún adormecida, caminando como si estuvieran en un barco en alta mar. Los perros olisqueaban los bordes de la nueva grieta en medio de la plaza, buscando quizá algún indicio de sus antiguos mapas olfativos. Sin ningún aviso, Zipitochi había cambiado para siempre en cuestión de minutos: había crecido varios metros al abrirse una tremenda zanja en medio de la ciudad, y mostraba una inclinación muy pronunciada. Esto trajo consigo un sinfín de problemas: por ejemplo, las casas más elevadas se quedaron sin agua y las que quedaron en la parte más baja se inundaron. Poco a poco, los adultos se empezaron a dar cuenta de todas las cosas que tendrían que cambiar para *enderezar* Zipitochi, sobre todo si querían seguir durmiendo la siesta de manera horizontal (a nadie le atraía la idea de rodar y caerse de la cama).

En cuanto se espabiló un poco, el alcalde de la ciudad reunió a todos los pobladores en la plaza central, frente al edificio de gobierno, para organizar la reconstrucción. Hubo un poco de confusión, porque la gente se tuvo que dividir a uno y otro lado de la grieta, cosa a la que no estaban acostumbrados. De inmediato comenzaron los reclamos de injusticia porque los del lado derecho quedaban más cerca del balcón desde donde el gobernante se dirigió a todo el pueblo:

—¡Ciudadanos de Zipitochi! —gritó a todo pulmón y apasionadamente—. Esta es la hora de saber de qué estamos hechos los zipitochenses.

El público tardó un poco en reaccionar y alzarse en vítores y aplausos (quizá porque la cuestión les parecía muy compleja), pero después de unos instantes la multitud aclamó las palabras de su líder.

—A partir de ahora, para organizarnos mejor, nos dividiremos en dos equipos de acuerdo con el lado de la zanja en el que viva cada quien. —Se oyeron algunos aplausos y silbidos de alegría, que se apagaron en cuanto habló de nuevo el alcalde.

—Así, habrá un equipo derecho y un equipo izquierdo. El equipo izquierdo, el de la parte elevada de Zipitochi, se encargará de subir los cubos de agua cuando llueva, y el equipo derecho recogerá la basura que se acumule en la parte baja.

—¡Pero eso es injusto! —clamaron al instante los del lado izquierdo—. La tarea de los otros es más sencilla.

—¡¿Más sencillo recoger toda la basura que nos echan ustedes desde arriba sin preocuparse?! ¡Además en Zipitochi nunca llueve, caradura! —protestaron a su vez los de abajo.

A este intercambio de quejas siguió una larga discusión a gritos y señas entre los dos equipos. Por suerte, la grieta los separaba lo suficiente como para que no alcanzaran a darse de golpes. La gran zanja había llegado no solo para dividir a Zipitochi, en más de un sentido, sino para abrir las puertas al pasado remoto. Si esta frase fuera la predicción de una médium después de ver su bolita mágica, podrías poner el resto de la historia en duda, pero en este caso es una descripción exacta de lo que ocurrió (aquello de abrir la puerta del pasado, quiero decir). El mismo día en que un temblor abrió la zanja en la plaza central, Martina y Fidel fueron los primeros en salir de sus casas a explorar Zipitochi. Muy pronto notaron que la grieta había puesto al descubierto varias capas de rocas de distinto color y composición. La fractura en la tierra estaba salpicada por los fragmentos de roca desprendidos por el temblor.

—Martina, ¿ya viste estas pisadas?

—Son enormes. ¿Serán de dinosaurio? ¿O de mastodonte? ¡Hay que avisar a todo el pueblo!

—Pero ¿si son solo de una vaca?

—¡En ese caso serían de vaca prehistórica! Eso tiene que ser un éxito de taquilla, ¿no crees?

—O la burla del pueblo.

—¡Ay, Fidel, Fidelito! Si el avance científico de la humanidad dependiera de ti seguiríamos sin descubrir el cero.

—Bueno, aunque se tratara del descubrimiento del siglo, ¿quién nos va a hacer caso en Zipitochi? ¿Crees que a alguien le interese esto? Hasta sería mejor esconderlo para que la gente no lo destruya.

Martina se detuvo a reflexionar un momento. El descubrimiento merecía un buen plan de acción. La niña sacó de su mochila un cuaderno y una pluma y empezó a hacer una lista con el título de "Plan de ataque":

1. Hacer un mapa y esquema anotado de todo lo que hemos encontrado en la zanja (sin decir nada a nadie por el momento).
2. Buscar algún experto para que verifique el descubrimiento.
3. Comunicárselo a todos en Zipitochi, para proteger y estudiar la zona.

El plan se escribía muy fácil, pero ponerlo en marcha parecía muy difícil. Aun así pusieron manos a la obra para hacer el mapa, que al final de cuentas no les quedó tan mal. Fidel tenía una gran habilidad para dibujar, y Martina hizo el plano de la zanja visto desde arriba. Era muy rudimentario pero daba una buena idea de lo que había ahí. También hicieron una lista de los objetos que encontraron: huesos de todos tamaños, rocas con huellas de pisadas y marcas de hojas de árboles. ¡Mucho antes de ser un desierto, Zipitochi parecía haber sido un bosque! Lo que más atrajo su atención, entre todos los restos, fueron varias rocas pequeñas amontonadas una junto a la otra, con una forma característica, que les parecía muy familiar.

—Si no fuera porque son rocas milenarias, yo diría que esto es una caca gigantesca, ¿no crees? —dijo Fidel un poco en serio y un poco en broma.

—¡Imagínate el tamaño del animal que la hizo!

—Oye, mira esos otros *churritos*. Esto parece un baño público de mamuts.

—Este *churro* tiene forma de un rol de canela —se rio Martina.

—¡Guácala! Por suerte después de tanto tiempo ya no huele…

—¿Crees que de verdad sea una caca de millones de años?

—Ni idea. Tenemos que seguir con el plan de ataque y encontrar a un experto para que nos lo confirme.

—En casa de mi tía Eulalia hay internet. Le puedo decir que tenemos una tarea importante, ¡lo cual es muy cierto!

—¿Y cómo lo buscamos, como "experto en cacas fosilizadas"?

—Pues intentémoslo. Total, no perdemos nada.

Martina y Fidel nunca habían buscado información en internet, pero pronto aprendieron que es de lo más fácil: basta con escribir lo que uno desea encontrar, darle clic y listo. De hecho, encontraron una lista de resultados que los dejó muy sorprendidos.

—¿Ya viste estas fotos? ¡Sí existen las cacas fosilizadas! —Se emocionó Fidel—. Son igualitas a las que encontramos en Zipitochi.

—¡Nos vamos a hacer famosos, descubrimos algo muy importante!

—Mira, pícale ahí. —Fidel señaló en la pantalla—. Aquí dice que el doctor Ordovico Piedrita es un experto en *co-pro-li-tos*.

—¡Ah! Así se llaman oficialmente: "Excrementos que se han solidificado como rocas". —Martina siguió leyendo en voz alta—: "Los coprolitos son importantes porque permiten identificar la dieta de los animales que los produjeron, y esto nos da una idea del medioambiente y el tipo de plantas y animales de la época", asegura el doctor Ordovico Piedrita.

Martina y Fidel llamaron al número de teléfono del experto, que aparecía en la página de internet, y le contaron de su descubrimiento. Al principio, el doctor Piedrita dudaba de la autenticidad del hallazgo, pero en cuanto los niños le describieron con todo detalle lo que habían encontrado, lo consideró realmente interesante.

—¿Cómo dicen? ¡¿En forma de rol de canela?! Oh, sí, esa es una de las formas más típicas. Yo las llamo *cumulus espiroides excrementa*. ¡Magnífico! Voy para Zipitochi cuanto antes —exclamó con gran emoción el doctor Ordovico Piedrita.

Mientras tanto, en la ciudad, los adultos continuaban discutiendo sobre las tareas de *enderezamiento* y la distribución de las responsabilidades. Cada vez había más disputas, y los que antes habían sido grandes amigos ahora estaban separados por una zanja.

—La culpa de todo es de esta grieta mugrosa —gritaban unos.

—¿Y si la tapamos? —aventuró uno entre la multitud.

—¡Sí! —gritaron todos al unísono—. Excelente idea.

El alcalde se reunió con los representantes del pueblo, de uno y otro lado de la zanja, y después de deliberar durante varias horas salió al balcón municipal y anunció su decisión de cerrar la grieta: "Traeremos toneladas y toneladas de grava y cemento para cerrarla, porque solo nos ha traído problemas".

—¡NOOOOOOOO! —Se oyó el grito de Martina y Fidel entre la multitud.

El alcalde se quedó mudo de sorpresa ante un *no* tan rotundo sobre su plan infalible.

—¿Y se puede saber por qué querríamos mantener abierta esa zanja?

—¡Pues porque está llena de coprolitos! —explicó Martina, que era la más valiente de los dos amigos.

—Peor aún si está llena de alimañas malignas —interrumpió el alcalde—. ¿Qué clase de bichos son esos?

—No son bichos, son cacas fosilizadas de animales que vivieron aquí hace millones de años.

Zipitochi entero se soltó una carcajada que parecía no tener fin. Nunca nadie había oído hablar de cacas fósiles, ni siquiera de fósiles comunes y corrientes (si algo así puede ser común y corriente).

—¡Ay, no! —se lamentó Fidel —. Te dije que nunca nos creerían, Martina.

El alcalde dio la señal para que salieran los camiones de carga a buscar toneladas de grava y arena para tapar la zanja. Martina trepó hasta el balcón y se dirigió al pueblo.

—¡Escuchen! Ya viene en camino el doctor Ordovico Piedrita, que es un experto en coprolitos...

La gente volvió a estallar en risas histéricas.

—Lo que Fidel y yo encontramos en la zanja es muy importante porque es como un museo gigante y único. Está en Zipitochi y a nosotros nos toca unirnos para cuidarlo todos juntos —insistió Martina desesperada.

—¡Qué museo ni qué museo! Esa grieta no sirve de nada y la vamos a tapar —concluyó el alcalde.

En ese momento, sin embargo, varios autobuses del Instituto de Geología de la Universidad Nacional llegaron al centro de Zipitochi. Primero descendió el doctor Ordovico Piedrita, un tipo bajito y rechoncho con un gran bigote pelirrojo al estilo Zapata. Llevaba sombrero, botas vaqueras y una bata blanca de laboratorio. Junto a él comenzaron a descender varios investigadores vestidos como exploradores, con pantalones cortos, chalecos con varios bolsillos e instrumentos colgando, botas y cascos con focos.

—¡Estamos listos para comenzar la excavación!
—dijo orgulloso el doctor Piedrita mostrando una
sonrisa gigante, como de T. Rex.

Toda la gente se quedó boquiabierta y en silencio
mientras veían avanzar a los investigadores hacia la
zanja con gran determinación. Martina y Fidel corrie-
ron para darle alcance al doctor y presentarse.

—Un momento —gritó enfurecido el alcalde—, ¿a
usted quién le dio permiso de excavar aquí?

—¿Permiso? —preguntó el doctor Piedrita.

El alcalde se hinchó de orgullo al explicarle que
solo él podía autorizar tal empresa.

—Aquí mismo tengo el permiso de excavación ex-
pedido por la Secretaría de Tesoros Históricos, Arqueo-
lógicos, Geológicos y Anexos. Cuando les expliqué la
importancia del hallazgo de estos dos niños —dijo
señalando a Martina y Fidel— no dudaron en darme
la aprobación de inmediato. Y es más, esta zona será
declarada como patrimonio de la nación y museo ar-
queológico, por lo que será también zona protegida y
administrada por la federación. En otras palabras, en
esta franja, usted ya no manda.

El alcalde estaba mudo y rojo de coraje. No atinaba
a hacer nada. El doctor Piedrita se le acercó y le susurró al oído:

—Yo que usted nombraría ahora mismo una comisión de apoyo logístico y protección ciudadana
para la excavación. Yo, por mi parte, quiero hacer un
nombramiento.

El doctor subió al balcón y les habló a los zipitochenses:

—Por medio de esta condecoración —dijo sacando de su bolsillo un par de gafetes—, quiero distinguir a Martina y Fidel como cazadores oficiales de coprolitos y otras curiosidades menos embarazosas, por su descubrimiento histórico de gran valor para la ciencia y la humanidad.

Zipitochi se deshizo en aplausos y hurras para los dos niños, que desde entonces no se quitan la condecoración ni para lavarse los dientes. En cuanto al alcalde de la ciudad, no le quedó más remedio que reconocer el nombramiento de Martina y Fidel y de declarar el derecho de los niños a expresar su opinión sobre asuntos que les conciernen a todos, y ser tomados en cuenta.

¿Y la zanja? Bueno, pues sigue ahí, como la puerta de entrada al pasado remoto... ¡que está lleno de coprolitos!

Artículo 12: Tenemos derecho a opinar sobre los asuntos que nos afectan, y nuestra opinión debe ser tomada en cuenta.

Artículo 13: Podemos hablar, escribir y contar todo lo que queramos sin afectar a los demás.

Artículo 15: Tenemos derecho a reunirnos libremente, en forma pacífica y a formar agrupaciones.

Artículo 17: Los medios de comunicación —incluyendo internet— deben darnos información que nos ayude a ser mejores.

Artículo 28: Tenemos derecho a la educación.

Artículo 29: La educación que recibimos… nos debe enseñar a apreciar nuestra cultura y respetar la naturaleza.

Un lindo y perfecto hogar

Javier Malpica

LAS TAZAS DE TÉ FUERON servidas por tercera vez.

—Comadre, qué bonita tiene toda su casa.

—Gracias, comadre.

—Me encanta su vajilla rosa.

—Mi color favorito.

Susana Aguilera, pariente de la popular Cristina Aguilera, se acomodaba el rubio cabello, mientras daba un delicado sorbo a su taza. Por otro lado, Lorena

Spears, prima —lejana, claro— de la famosa Britney, no dejaba de jugar con sus tres collares de perlas. Cada uno de diferente color.

—¿Y qué me cuenta, comadre? —se aventuró a preguntar Lorena, con todo el espíritu de quien desea escuchar un buen chisme.

La respuesta de Susana no tardó en aparecer en una melodramática voz:

—Muy mortificada, comadre. —Tuvo que dejar su taza de té para continuar—: Figúrese que Nicole sigue empeñada en casarse.

Lorena estaba también por tomar de su infusión, pero sintió que lo correcto era dejar la taza, tal y como había hecho su amiga, y mostrar un genuino interés en su problema.

—No me diga.

—Sí le digo, comadre. —Susana sonaba realmente mortificada, mientras alcanzaba a su amiga el plato de galletas.

—¿Y con quién? —Lorena tomó una pasta de vainilla con forma de estrella y agregó con indignación—: No me va a decir usted que con el holgazán ese.

Por un momento pareció que la señora Aguilera sacaría un pañuelo y comenzaría a enjugar sus lágrimas.

—Yo que quería que se casara con un doctor o un abogado.

—Claro, alguien que de menos haya estudiado algo de provecho.

La prima de Britney mordió con rabia uno de los brazos de la estrella de vainilla, mientras que la pariente de Cristina expresaba su contrariedad tomando un gran trago de su bebida, para casi de inmediato dejar con furia la taza sobre la mesita.

—Pero ella insiste en casarse con ese corredor de autos.

Lorena posó su mano sobre el dorso de la de su amiga en señal de apoyo.

—¿Y de verdad está muy empeñada? —preguntó la millonaria señora Spears.

—Mírela, comadre. Por más que le digo, ella insiste en usar su vestido blanco. Dice que es la única manera en que se siente feliz.

Efectivamente ahí estaba la rubia de largas piernas vestida con su ostentoso vestido de novia. Sonreía como si efectivamente estuviera por irse de luna de miel a las islas Fiyi.

La señora Patricia Ruiz extendió una serie de folletos promocionales sobre la mesita de centro.

—Creo que las mejores clases son las de yoga. Pero los maestros de kick boxing son muy buenos.

La señora Maribel Orozco tomaba una y otra hoja sin poder decidirse.

—¿Qué es esto de Reiki?

—Creo que es una técnica de curación japonesa a través de las manos.

Un gesto cómplice se hizo entre las dos amigas, uno que claramente decía: "Vaya, las cosas que no inventan".

Maribel continuó examinando las hojas de colores que su vecina le había conseguido.

—¿No hay nada de baile?

—Hay clases de salsa y de jazz.

Patricia Ruiz le alcanzó entonces una hoja rosa donde se anunciaban clases diarias de diversos bailes.

—Hay hasta clases de tango y flamenco —exclamó maravillada Maribel.

—Te dije que el club es muy completo.

La señora Orozco sonrió mientras servía un poco más de café a las dos tazas que se encontraban sobre la mesita de centro y comentó:

—Cada vez estoy más contenta de que hayamos podido encontrar esta casa.

—Tuviste mucha suerte. —Patricia Ruiz comenzó a ordenar las hojas que tapizaban la mesa—. He sabido de gente que ha estado en la lista de espera por diez años.

—Es tan difícil encontrar una colonia decente en esta ciudad.

—Todos los que vivimos aquí nos sentimos privilegiados. La seguridad es de primera. Tenemos todos los servicios. Y lo más importante: todos los vecinos son gente muy respetable.

Maribel vertía en su café el contenido de un sobre de edulcorante de bajas calorías, mientras le decía a su amiga:

—Te confieso que antes de la resolución, apenas si dormí. Por un momento creí que la junta vecinal no nos aceptaría.

—¿A una familia tan linda como la tuya?

Las dos amigas paladearon sincronizadamente el líquido de sus respectivas tazas; un discreto trago que parecía provenir de dos expertas catadoras de vino, y no de un par de amas de casa reunidas en una tarde de noviembre tomando café y galletas.

—¿Y cómo va Natalia? —preguntó la señora Ruiz después de una breve pausa.

—La maestra dice que va muy bien —respondió Maribel Orozco con gran orgullo.

—Es maravilloso que se haya adaptado tan pronto.

—Y eso que es ya nuestro tercer cambio de casa en un año.

Patricia tuvo que dejar su taza, ante la sorpresa que no pudo evitar externar:

—¿Tres mudanzas en un año?

—Es por el trabajo de mi marido.

La señora Ruiz no sintió en ese momento curiosidad por el trabajo del marido de Maribel. Lo que hizo fue echar una mirada a la estancia y preguntarse cómo le habían hecho para tener tan arreglada la casa. Recordó cómo ella misma todavía había tenido cajas estorbando en el pasillo dos meses después de haber hecho esa última mudanza varios años atrás.

—Lo bueno es que ya están muy instalados.

Maribel Orozco pudo ver la admiración en el rostro de su vecina ante el orden en la gran sala y comedor, y no pudo evitar proponer:

—¿Quieres conocer la casa?

—Yo tengo miedo de que algo así pase con Jennifer —se atrevió a confesar la distinguida Lorena, sin poder apartar la mirada de la crinolina del vestido de Nicole.

—¿Por qué, comadre? —Ahora tocaba el turno a Susana Aguilera de mostrarse solidaria—. ¿No dice que la va muy bien como aeromoza?

—Le va de maravilla. Siempre me cuenta de los viajes que hace por el mundo, pero también me comenta de todos esos pilotos guapos que conoce.

Susana no pudo reprimir una leve tosecita, que se apresuró a controlar, para preguntar:

—¿Tiene miedo de que quiera huir en un avión con uno de esos capitanes guapos?

—Peor que eso. Tengo miedo de que me la roben. —La pariente de Britney hizo una pausa y miró hacia el pequeño sofá—. Dígame, comadre, ¿no es realmente bonita mi Jennifer?

La muchacha, sentada a un lado de Nicole, era bella en verdad. Llevaba puesto con orgullo su uniforme azul, y su abundante melena pelirroja se las arreglaba para resaltar aun bajo el curioso sombrerito de sobrecargo.

Las dos amigas vieron a sus hijas y no pudieron evitar dejar que un silencio, clara señal de contrariedad maternal, se instalara por todo el cuarto.

El primer espacio en aparecer en el tour fue la terraza, el orgullo de la señora Orozco, donde una mesa blanca con su correspondiente juego de sillas permitía las cenas al aire libre. Piso de madera de pino. Plantas en macetas de cerámica. Halagos de la señora Ruiz. Plática informal:

—¿No te parece maravilloso que nuestras hijas se lleven tan bien?

—Apenas mi niña conoce a Emilia y ya dice que es la mejor amiga que ha tenido en la vida —comentó feliz la señora Orozco.

—Así son las niñas. Se encariñan muy fácilmente.

—Casi desde el primer día no hablaba de otra cosa; que Emilia esto, que Emilia aquello.

—Igual mi hija. "Mamá, vamos a casa de Natalia". "Mamá, llévame a jugar con Natalia".

—Ya era hora de que nos conociéramos.

Patricia Ruiz desvió la mirada a la distancia, justo sobre la cañada habitada por altas acacias y fresnos.

—Oye, qué vista maravillosa.

—¿Verdad?

—Los hijos son nuestro calvario —continuó lamentándose la señora Spears, mientras acariciaba las perlas verdes de uno de sus collares.

—Nicole es un gran problema —confesó Susana Aguilera. Tomó aire y se atrevió a confesar—: pero quien realmente me preocupa es Osvaldo.

—¿Osvaldo?

Lorena dirigió la mirada a cierto punto de la habitación. Justo donde estaba el pequeño Osvaldo.

—Usted sabe, comadre. No habla. Está siempre sucio y babea todo el tiempo. La otra vez se orinó en su mejor piyama. Tuve que lavar las sábanas, y estaban limpias.

La señora Spears no apartaba la mirada del hijo de la señora Aguilera.

—¿Por eso lo tiene en el corral?

El pobre Osvaldo estaba efectivamente dentro de una cuna y rodeado por una estructura carcelaria de madera. Se veía sucio y descuidado.

—Pero no puedo hacer nada. Es lo que se hace con los hijos que son diferentes, ¿no?

Luego vino la cocina, que estratégicamente podía alcanzarse a través de una puerta corrediza de cristal. Gran refrigerador, cocina integral con tableros de mármol verde. Halagos de Patricia Ruiz y más plática iniciada por ella misma:

—¿Y no has pensado en un hermanito para Natalia?

—Pues por el momento hemos decidido esperar un poco —dijo Maribel Orozco mientras se recargaba en una de las sillas del desayunador.

—También nosotros.

—La situación no está para más hijos.

—Claro.

—Siempre he dicho que si vas a tener hijos es para darles lo mejor. No para hacerlos sufrir.

—Por supuesto.

—A mí me da un poco de pena que esté ahí tan solo —comentó Lorena con cierto pesar al ver el abandono en el que estaba el pequeño Osvaldo.

—No se preocupe, ya está acostumbrado. Si no me cree, pregúntele a Nicole.

Pero el gesto de la rubia del vestido blanco decía que si en algo estaba pensando no sería en la triste situación de su hermano, sino en la posible lista de invitados de su esperada boda.

—Tal vez sería bueno llevarlo a pasear. Se ve un poco pálido —se atrevió a sugerir la señora Spears.

—¿Tú crees? Yo creía que ese era su color natural de piel.

—¿Ya le preguntó al doctor si es sano que esté todo el tiempo ahí encerrado?

La señora Aguilera miró a su hijo y por primera vez se preguntó si estaría haciendo lo correcto. Después de todo, ella siempre se había considerado una madre ejemplar, siempre preocupada por darles a sus hijos lo mejor.

Al final, en el piso superior: las recámaras. Tres. Conectadas por un largo pasillo. Plantas. Una mesa con adornos. Un gran espejo. Excursión a la recámara matrimonial. Una expresión de asombro de la señora Ruiz ante el cuadro sobre la cabecera de la cama; obra de un reconocido pintor oaxaqueño. Dijo la visitante con una cierta envidia: "Parece que tuvieras el mar en tu casa".

—¿Y esa recámara? —preguntó Patricia al mirar la puerta cerrada al final del pasillo.

—Esa te la debo. La estamos usando ahora como bodega.

"Claro —pensó Patricia Ruiz—, en algún lugar debían estar todas esas cajas". Solo una cosa la turbó, un sonido que parecía provenir del interior. "¿Será posible que una casa tan ordenada tenga ratas?". Desde luego, este pensamiento no se atrevió a externarlo.

—Y esa —dijo con orgullo la señora Orozco mientras señalaba la puerta de madera situada justo a mitad del pasillo— es la recámara de mi princesa.

—Tal vez debemos llevar a Osvaldo al parque. —La señora Spears seguía abogando por el bienestar de Osvaldo.

—¿No cree que le haga daño? —preguntó con cierta preocupación Susana Aguilera.

—Al contrario, comadre. El sol siempre es saludable.

—Tiene razón, comadre. Mi doctor siempre me recomienda un poco de sol.

—No es bueno que un niño no salga ni tenga amigos.

—Me ha convencido, comadre. Llevemos a Osvaldo por un helado y un poco de sol.

—Podemos llevar también a Nicole y a Jennifer.

—Que no se diga que no les doy a mis hijos lo mejor.

Las dos comadres se pusieron de pie. Estaban por alistar a sus hijos para la improvisada excursión cuando un sonido las detuvo.

La señora Maribel Orozco abrió la puerta, y ante la visión de las dos niñas ataviadas como mujeres maduras tomando el té no pudo evitar lanzar la pregunta:

—¿Qué hacen, traviesas?

—Nada, mamá. Jugando a las comadres —respondió alegremente Natalia.

Emilia corrió hasta su mamá, mostrando orgullosa las perlas de fantasía que colgaban de su cuello.

—¿No están bonitos estos collares que me prestó Natalia?

Patricia Ruiz sonrió mientras acariciaba el pelo de su hija y preguntaba divertida:

—¿Y cómo se juega a las comadres?

Fue Natalia quien respondió:

—Pues hacemos de cuenta que somos ustedes.

—Obvio —confirmó Emilia.

Maribel tomó entre sus manos las muñecas sentadas en el sillón de juguete:

—¿Y estas son ustedes?

—Pues yo soy esta muñeca vestida de novia y Emilia es esta muñeca aeromoza —explicó Natalia.

—Yo me llamó Lorena Spears y soy prima de Britney y Natalia se llama Susana y es media hermana de Cristina Aguilera —añadió Emilia.

Las dos madres sonrieron en complicidad, tal vez recordando que ellas cuando eran niñas también soñaron en que algún día se casarían, que serían aeromozas, o simplemente tal vez en alguna ocasión fingieron ser parientes de Madonna o de Cyndi Lauper.

Patricia Ruiz, aún intrigada por el juego infantil, tomó al conejo de trapo que se encontraba dentro de esos barrotes de madera y lo mostró a las pequeñas.

—¿Y este pobre conejo?

—Ese es Osvaldo —se apresuró a contestar Emilia.

—¿Osvaldo?

—Sí. Es el hijo de Natalia, que como está enfermo, hay que dejarlo encerrado.

—Huy. Eso no está bien.

—Natalia es una mamá que no quiere a su hijo, pero entonces yo la convenzo de que es un niño que tiene el derecho de que lo traten bien.

—Claro —expresó su madre.

Hubo un silencio; un extraño silencio y una mirada entre Maribel Orozco y su hija. Emilia sintió que debía llenar ese silencio con unas cuantas palabras más:

—Pero no te preocupes, mamá. Osvaldo no existe.

—Menos mal —dijo aliviada la señora Ruiz, quien quiso compartir una sonrisa cómplice con su vecina, pero lo que encontró fue una rara expresión de contrariedad. El perturbador silencio seguía empeñado en seguir presente. Si se hubiera preguntado a Patricia por qué se sintió incómoda en ese momento, no habría sabido qué responder, pero sintió que ella y su hija debían irse de ahí.

—Bueno, Emilia, junta tus cosas, que ya nos vamos.

—Pero, mamá…

—Nada. Tenemos que dejar a nuestras nuevas vecinas instalarse bien.

Esa excusa fue lo único que alcanzó a pensar para poder salir de esa casa perfecta, no sin antes entregar al descuidado conejo en manos de Maribel.

—Anda, deja los collares de Natalia.

Las invitadas apenas habían cruzado la puerta principal —no sin antes haber hecho prometer a sus anfitrionas que ahora tendrían ellas que hacer la visita de cortesía—, cuando Maribel hizo que su hija se sentara en el sofá de la sala, justo frente a ella.

—¿Le contaste a Emilia?

—¿Qué, mamá? —contestó la niña mientras tomaba un pastelito de la mesa de centro.

—No te hagas la tonta, Natalia. —Maribel le arrebató el bocadillo a su hija—. Sabes a qué me refiero.

—No. No sé, mamá. —La niña realmente sonaba igual a alguien que pretende hacerse el desentendido.

—Le pusiste a este conejo el nombre de tu hermano.

—Pues sí —reconoció finalmente la pequeña.

—Y lo pusiste encerrado en un corral de juguete.

—Igual que a mi hermano.

La señora Orozco sintió la urgente necesidad de ponerse de pie. Se llevó una mano a la frente. La cabeza comenzaba a dolerle.

—Tu hermano está encerrado por su propio bien. Ya te lo he dicho más de mil veces.

—Pero yo creo que está triste ahí —objetó Natalia mientras furtivamente tomaba ahora una galleta de chocolate y la ocultaba entre los pliegues de su falda.

La señora Orozco respiró profundamente y se sentó de nuevo frente a su hija. Era preciso hacerla entender.

—Tu hermano tiene una enfermedad que le hace imposible darse cuenta de si está triste o no.

Natalia suspiró y, bajando la mirada, dijo en un tono muy cercano al puchero:

—Yo quería presentarle a Emilia a mi hermano.

—Sabes muy bien que no puedes contarle a nadie sobre él.

La mujer no dejaba de jugar nerviosamente con el conejo de trapo. El cascabel que colgaba de su cuello sonaba con cada movimiento.

La pequeña Natalia suspiró y tomando valor se atrevió a decir:

—Mamá, no te vayas a molestar, pero hoy la maestra nos hizo que dibujáramos en una hoja a nuestra familia en nuestra casa. —En ese momento, la señora Orozco hubiera querido decir algo como "No te habrás atrevido", pero las palabras no alcanzaron a salir por su garganta. Su hija continuó explicando—: La maestra me preguntó quién era ese niño encerrado en un corral y yo se lo dije. Le dije que tú y papá habían encerrado a Osvaldo por su bien.

Maribel Orozco apretó al conejo de trapo con todas las fuerzas que su puño le permitió:

—¿Te das cuenta de lo que has hecho, Natalia?

—La maestra me dijo que va a venir a hablar contigo —dijo con firmeza la niña.

Se hizo entonces un silencio tan grande como los árboles que rodeaban ese tranquilo vecindario. Si el conejo hubiera sido de verdad, seguramente se habría podido escuchar su respiración.

—¿Sabes lo difícil que fue conseguir que viviéramos en esta casa? —Las palabras de Maribel parecían el ruego de alguien atrapado en un callejón sin salida.

Natalia se acercó a su madre y le acarició el cabello. Dos minutos pasaron.

—¿De verdad crees que no quiero a tu hermano? —se atrevió a decir el ama de casa.

—Claro que lo quieres, mamá. Por eso vas a hacer lo mejor para él.

Maribel Orozco dejó que el conejo Osvaldo se escapara de entre sus dedos y cayera al suelo. El cascabel se desprendió y rodó debajo de la mesita de centro.

—Es una bonita colonia, mamá. No te apures. Todos los vecinos van a querer a Osvaldo aunque tenga retraso mental. ¿No dices que aquí todos son muy buenos?

Natalia tomó unas cuantas galletas y desapareció de la sala mientras decía:

—Voy a visitar a mi hermano.

Al mirar al conejo en el suelo, le pareció a Maribel Orozco que detrás de su manchado rostro había una sonrisa que amenazaba en convertirse en una risa, una carcajada que finalmente terminaría con esos incómodos silencios que tanto revoloteaban entre las paredes de ese lindo y perfecto hogar.

Artículo 27: Nuestro padre y nuestra madre tienen la responsabilidad de ofrecernos un nivel de vida adecuado que nos permita desarrollarnos en lo físico, lo mental, espiritual, moral y social. Si ellos no pueden hacerlo, el Estado debe ayudarlos.

GABRIELA AGUILETA (ciudad de México, 1974) ha vivido en muchos lugares, como Israel, Canadá e Inglaterra. Sus dos grandes pasiones son la ciencia y la literatura, por eso es narradora, ensayista e investigadora científica. Forma parte del consejo editorial de la revista de literatura infantil *La sonrisa del gato*. Obtuvo el Premio Castillo de la Lectura en los años 2000 y 2001 por *El espejo en el agua* y *La conspiración de las tías*.

M. B. BROZON (ciudad de México, 1970) estudió comunicación en la Universidad Iberoamericana y después estudió en la Sociedad General de Escritores de México (SOGEM) donde descubrió su verdadera vocación. Ha obtenido en dos ocasiones el premio El Barco de Vapor con sus obras *¡Casi medio año!* y *Las princesas siempre andan bien peinadas*. Además, en 2008 obtuvo el premio Gran Angular por su novela *36 kilos*.

JUAN PABLO GÁZQUEZ (ciudad de México, 1974) estudió artes visuales, fotografía y creación literaria. Dedica todo su tiempo completo a escribir y a dibujar. Ha ilustrado los libros *Alguien en la ventana*, *Nadie es mi amigo*, *La noche de la muñeca*, *Siete habitaciones a oscuras*, *Ruidos en la panza* y *Mapa de libros*. Es autor de *La noche encallada* y *Sonambulario*.

JAVIER MALPICA (ciudad de México, 1965) estudió Física en la UNAM, pero además escribe, sobre todo obras de teatro. A él también le gusta la música, y junto con su hermano tiene un grupo de jazz llamado Rayuela 23. En SM tiene publicados *Clubes rivales*, *Hasta el viento puede cambiar de piel* y *Papá está en la Atlántida*.

TOÑO MALPICA (ciudad de México, 1967) era un ingeniero que luego decidió ser escritor. Y fue una buena decisión porque ha publicado más de 30 libros. También le gusta la música y toca el piano, pero lo que más hace es escribir. Ha recibido muchos premios, incluidos el Gran Angular tres veces —en 2003 por *Ulises 2300*, en 2005 por *El nombre de Cuautla*, y en 2011 por *Adonde no conozco nada*— y El Barco de Vapor en 2007 por *Diario de guerra del coronel Mejía*.

JUAN CARLOS QUEZADAS (ciudad de México, 1970) ha trabajado como guionista en la tele y ha colaborado en los periódicos *El Universal, Etcétera, Gaceta Convite* y *Unomásuno.* Ha ganado muchos premios, entre otros, El Barco de Vapor 2008 y Premio Nacional de Cuento Infantil Juan de la Cabada 2009. En SM hemos publicado *Biografía de un par de espectros, Desde los ojos de un fantasma* y *Ciudad Equis 1985.*

ANA ROMERO (Michoacán, México, 1975) estudió Sociología en la UAM. Ha trabajado en revistas, radio, televisión y otros medios audiovisuales. Es autora de varios poemarios y novelas para niños y jóvenes, y ha participado en varias antologías. En SM ha publicado *La secreta misión del 6.21* y *Puerto libre. Cuentos de migrantes,* por el que obtuvo en 2011 el Premio Bellas Artes de Cuento Infantil Juan de la Cabada.

***Cuentos del derecho…
y del revés***

se terminó de imprimir en julio de
2015 en Duplicate Asesores Gráficos,
S. A. de C. V., Callejón San Antonio
Abad núm. 66, col. Tránsito,
c. p. 06820, Cuauhtémoc,
México, D. F.